새 교육과정 5~6학년 STEAM 과학

초등 5·2

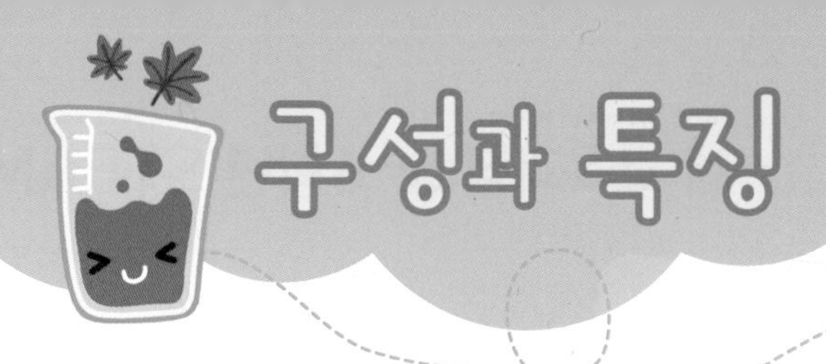

개념

교과서 핵심 내용을 간결하면서도 이해하기 쉽게 설명해 놓았습니다. 또한, 풍부한 시각 자료가 있어 개념이 확실히 잡히도록 구성하였습니다.

개념 더하기

교과서 개념을 이해하는 데 도움이 되는 설명들로 구성하였습니다.

탐구

단원의 중요 탐구를 제시하여 중요 내신형 탐구 문제를 쉽게 해결할 수 있도록 구성하였습니다.

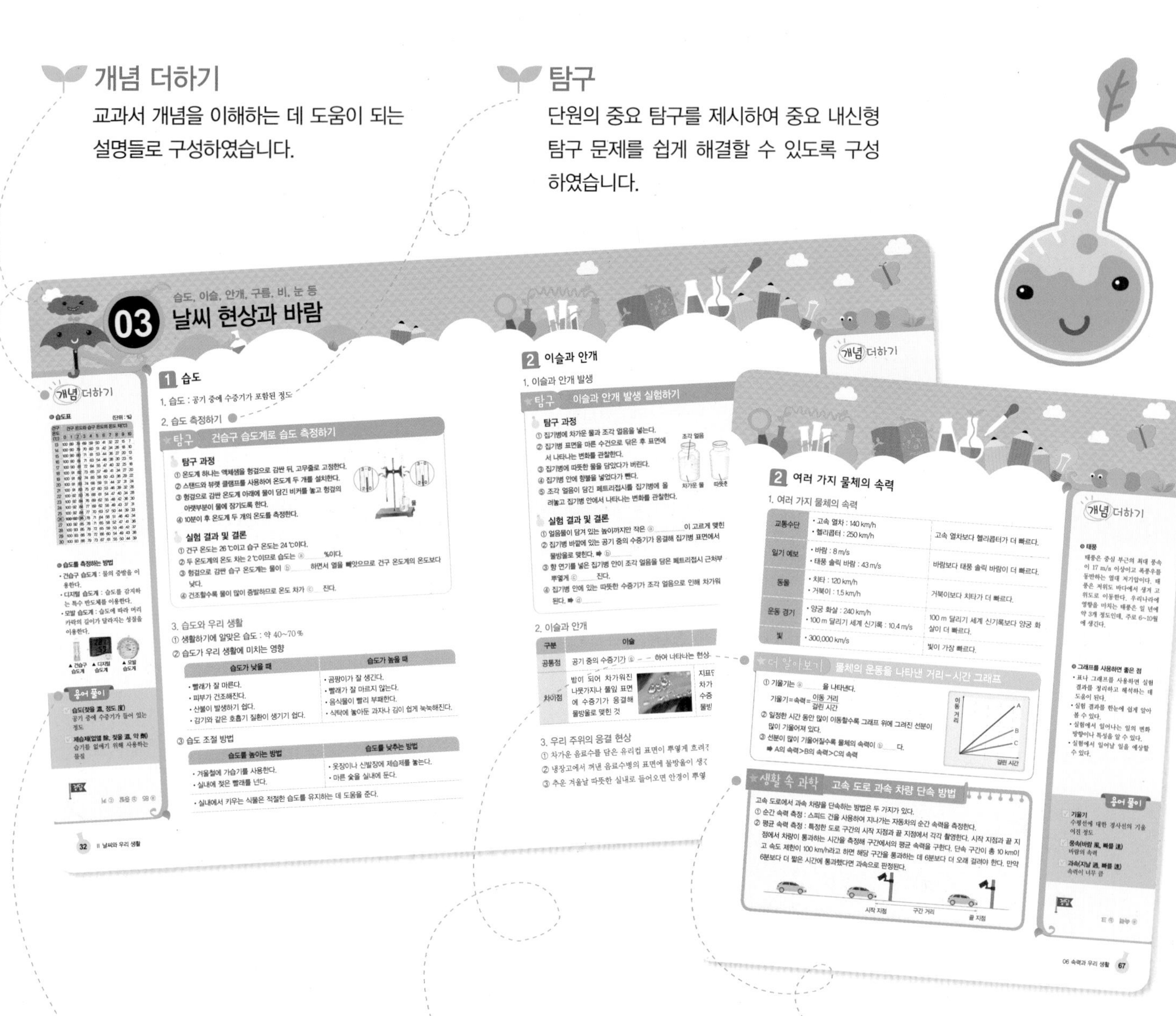

용어 풀이

한자의 뜻을 알면 용어의 뜻을 잘 이해할 수 있어 과학 용어를 잘 기억할 수 있습니다.

더 알아보기

학교 시험에 나올 수 있는 문제를 대비하여 교과서 개념을 응용하거나 적용된 실생활 내용으로 구성하였습니다.

생활 속 과학

새 교육과정의 융합인재교육(STEAM)에서 강조하고 있는 생활 속 과학을 교과서 개념이 적용된 내용으로 구성하였습니다.

문제 구성

교과서 핵심 내용을 확실히 이해했는지 확인하기 위한 객관식 문제 유형과 서술형 문제 유형으로 구성하였습니다. 또한 새 교육과정에서 강조하는 융합인재교육(STEAM)을 위한 융합사고력 문제 유형과 STEAM 실험실로 탐구력 향상 문제 유형으로 구성하였습니다.

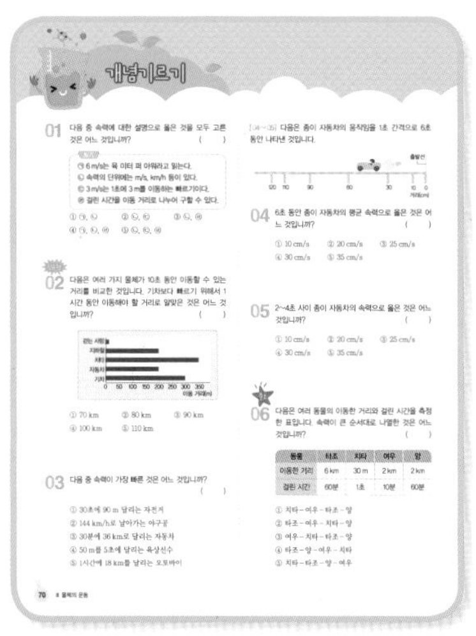

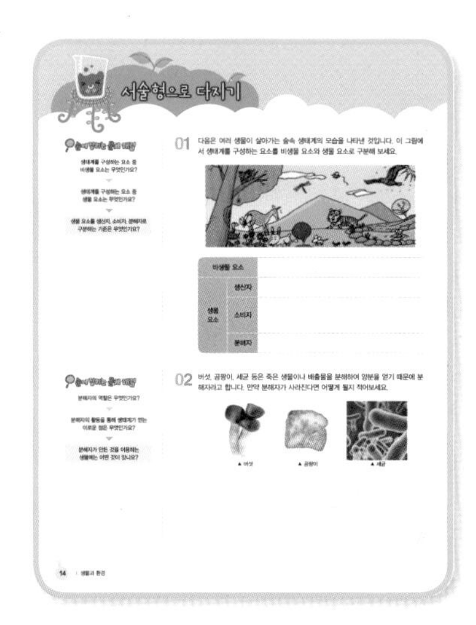

개념 기르기

개념을 확실히 파악했는지 확인하고 학교 시험에 자주 출제되는 문제를 통해 기초를 튼튼히 기를 수 있도록 구성하였습니다.

서술형으로 다지기

학교 시험에서 출제되는 서술형 문제를 집중적으로 연습할 수 있고, 문제를 해결하기 위한 사고의 흐름을 손에 잡히는 문제 해결로 제시하여 문제해결력을 다질 수 있도록 구성하였습니다.

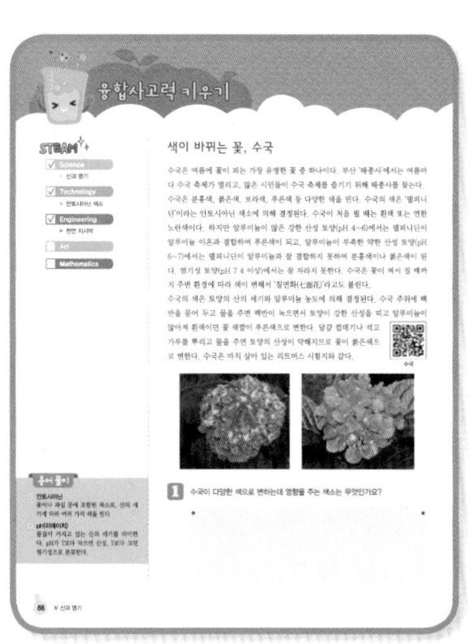

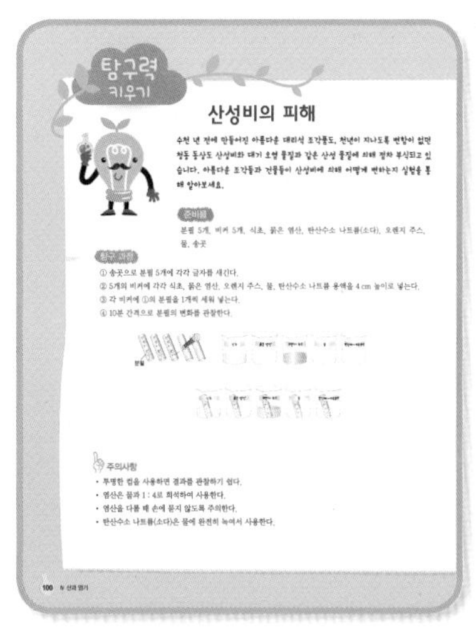

융합사고력 키우기

창의 서술형 평가로 새롭게 등장한 융합형(STEAM) 문제를 대비할 수 있도록, 신문기사(NIE), 실생활 속 제품, 과학사 등의 지문을 이용하여 서술형 문제와 논술형 문제를 넣고, 손에 잡히는 문제 해결로 융합적 사고의 흐름을 제시하여 융합사고력을 키울 수 있도록 구성하였습니다.

탐구력 키우기

새 교육과정에서 등장한 단원별 마무리 STEAM 활동처럼 단원을 STEAM 탐구로 마무리할 수 있도록 구성하였습니다.

문제 구성 속 아이콘

ⓐ 개념 속 빈칸
눈으로만 보는 개념보다 빈칸을 채워가며 완성하는 개념이 학습에 도움이 됩니다. 이를 위해 핵심 개념에 빈칸을 넣어 구성하였습니다.

정답 개념 속 빈칸 정답
빈칸을 채워가며 개념을 완성하는 데 정답 확인이 번거롭지 않도록 개념 페이지 하단에 정답을 넣었습니다. 답을 바로바로 확인하면서 개념 페이지를 완성할 수 있습니다.

중요
출제 빈도가 높은 문제에는 중요 아이콘을 표시했습니다. 이 문제는 확실히 이해하고 넘어가도록 합니다.

신유형
새 교육과정에 맞춰 새롭게 등장한 유형으로 학교 시험 예상 문제입니다.

논술형
최근 창의 서술형 평가로 새롭게 등장한 논술형 문제를 대비할 수 있도록 구성하였습니다.

차례

구성과 특징 ··· 02

I 생물과 환경

01 생태계 ··· 08
융합사고력 키우기 ··· 16
02 생물과 환경 ··· 18
융합사고력 키우기 ··· 26
탐구력 키우기 ··· 28

II 날씨와 우리 생활

03 날씨 현상과 바람 ··· 32
융합사고력 키우기 ··· 40
04 해륙풍과 계절별 날씨 ··· 42
융합사고력 키우기 ··· 50
탐구력 키우기 ··· 52

물체의 운동

05 물체의 운동 ········· 56
융합사고력 키우기 ········· 64
06 속력과 우리 생활 ········· 66
융합사고력 키우기 ········· 74
탐구력 키우기 ········· 76

산과 염기

07 용액의 분류 ········· 80
융합사고력 키우기 ········· 88
08 산과 염기의 성질 ········· 90
융합사고력 키우기 ········· 98
탐구력 키우기 ········· 100

I 생물과 환경

01 생태계
02 생물과 환경

생물과 생물의 생활에 영향을 미치는 비생물 요소를 포함하는 생태계에 대해 배운다.
환경 요인이 생물의 생활에 미치는 영향과 생물과 환경의 관련성을 알아보고, 환경 오염의 원인과 그로 인한 생태계 파괴를 알아본다.

★ 2015 개정 교육과정 교과서

초등 5~6학년 군 :
5학년 2학기 2단원 생물과 환경

★ 다른 학년과의 연계

초등 3~4학년 군 : 동물의 생활, 식물의 생활
초등 5~6학년 군 : 다양한 생물과 우리 생활
중학교 1~3학년 군 : 생물의 다양성

생물 요소와 비생물 요소로 이루어진

01 생태계

1 생태계

1. 생태계

① ⓐ______ : 어떤 장소에서 생물 요소들이 서로 영향을 주고받거나, 생물 요소와 비생물 요소가 서로 영향을 주고받는 것

② **생태계 규모** : 화단, 연못 등과 같이 규모가 작은 생태계도 있고 숲, 바다 등과 같이 규모가 큰 생태계도 있다.

③ **생태계 종류** : 숲 생태계, 사막 생태계, 연못 생태계, 강 생태계, 습지 생태계, 갯벌 생태계, 극지 생태계, 도시 생태계 등

2. 숲속 생태계 구성 요소

① ⓑ_____ **요소** : 우리 주변에서 살아 있는 것

② ⓒ______ **요소** : 우리 주변에서 살아 있지 않은 것

생물 요소	비생물 요소
매, 호랑이, 거미, 벌, 버섯, 토끼, 뱀, 나비, 나무, 사슴, 다람쥐, 개미, 개구리, 곰팡이, 토끼풀, 세균, 쥐, 잠자리	햇빛, 공기, 흙, 물

3. 양분을 얻는 방법에 따른 생물 요소 분류

① ⓓ_____자 : 햇빛 등을 이용하여 양분을 스스로 만든다.

② ⓔ_____자 : 다른 생물을 먹이로 하여 양분을 얻는다.

③ ⓕ_____자 : 죽은 생물이나 배출물을 분해하여 양분을 얻는다.

생산자	소비자	분해자
나무, 토끼풀	매, 호랑이, 거미, 벌, 토끼, 뱀, 나비, 사슴, 다람쥐, 개미, 개구리, 쥐, 잠자리	버섯, 곰팡이, 세균

개념 더하기

● **버섯은 분해자**
버섯은 엽록체가 없어 광합성을 하지 못하므로 스스로 양분을 만들지 못한다. 단백질, 셀룰로오스, 녹말과 같은 물질을 분해하여 에너지원으로 사용한다.

용어 풀이

- **생태계(날 生, 모양 態, 이을 系)** 어떤 장소에 사는 생물이 비생물 요소와 상호 작용하는 것
- **요소(중요할 要, 바탕 素)** 어떤 사물이나 일이 이루어지거나 일어나기 위해 꼭 필요한 성분이나 조건
- **생산자(만들 生, 낳을 産, 사람 者)** 생장하고 생활하는 데 필요한 양분을 스스로 만드는 생물
- **소비자(사라질 消, 쓸 費, 사람 者)** 다른 생물을 먹이로 하여 살아가는 생물
- **분해자(나눌 分, 풀 解, 사람 者)** 생물의 사체나 노폐물을 분해하는 생물

정답

ⓐ 생태계 ⓑ 생물
ⓒ 비생물 ⓓ 생산
ⓔ 소비 ⓕ 분해

4. 생태계 구성 요소

① **생태계 구성 요소** : 하나의 생태계는 비생물 요소와 생물 요소로 구성되어 있다.

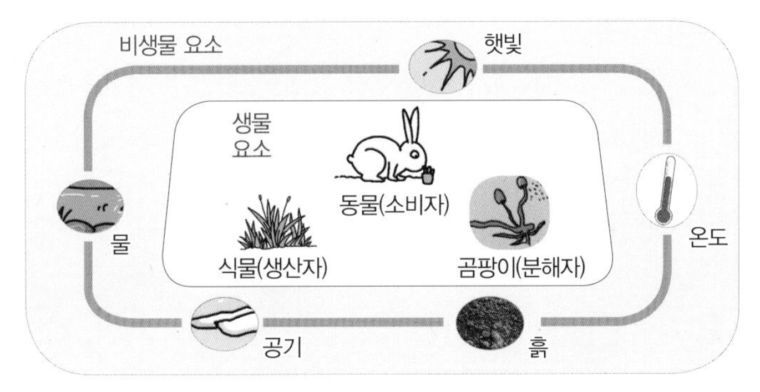

5. 생태계 구성 요소들 사이의 관련성

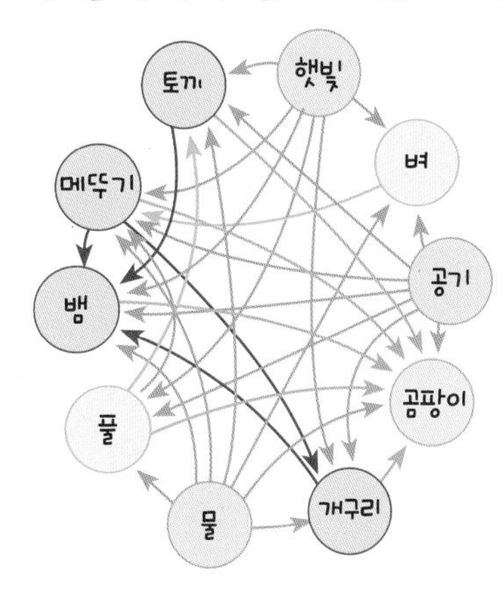

① 햇빛, 물, 공기 등은 식물이 양분을 만들고 동물이 생활하는 데 영향을 준다.

② 토끼는 ⓐ____을 먹음으로써 생활하는 데 필요한 양분을 얻는다.

③ 뱀이나 개구리는 다른 ⓑ_____을 먹음으로써 생활하는 데 필요한 양분을 얻는다.

④ 토끼의 배출물과 사체는 ⓒ_______에 의하여 분해되어 땅을 비옥하게 한다.

⑤ 모든 생태계 구성 요소는 다른 것과 ⓓ_____되어 있다.

⑥ 생태계를 구성하는 요소들은 서로 영향을 주고받는다.

★더 알아보기 생산자나 분해자가 사라진다면?

① 생산자가 사라진다면?

식물을 먹는 소비자는 먹이가 없어서 죽고, 그 다음 단계의 소비자도 먹이가 없어서 죽을 것이다. 결국 생태계의 모든 생물이 멸종할 것이다.

② 분해자가 사라진다면?

분해자는 죽은 생물이나 배출물을 분해하여 다른 생물이 이용할 수 있게 해 주는 중요한 역할을 한다. 만일 분해자가 사라진다면 생물이 죽은 뒤 썩지 않아 지구는 생물들의 사체로 가득할 것이다. 또한, 흙에 거름이 부족해져서 식물이 잘 자라지 못해 결국 동물의 먹이도 부족해질 것이다. 분해자는 생태계의 평형을 유지하는 데 중요한 역할을 한다.

개념 더하기

● 비생물 요소의 작용

- **햇빛** : 식물이 광합성을 하는 데 필요하다.
- **온도** : 생물의 분포와 물질 대사의 속도를 조절한다. 온도가 너무 낮거나 높은 곳에서는 생물이 살 수 없다.
- **공기** : 생물이 호흡하는 데 필요하다.
- **물** : 생물의 몸을 이루는 성분이며, 호흡·배설·소화·순환 등 생물이 생활하는 모든 작용에 필요하다.
- **흙** : 생물이 살아가는 터전이며, 식물은 흙에서 물과 양분을 얻는다.

용어 풀이

비옥(기름질 肥, 기름질 沃)
땅이 기름짐

정답

ⓐ 풀 ⓑ 동물 ⓒ 곰팡이
ⓓ 관련

01 생태계

2 생태계를 구성하는 생물들의 먹이 관계

1. 먹이 사슬과 먹이 그물

① 먹이 ⓐ______ : 생물의 먹이 관계가 사슬처럼 연결되어 있는 것

② 먹이 ⓑ______ : 여러 개의 먹이 사슬이 얽혀 그물처럼 연결되어 있는 것

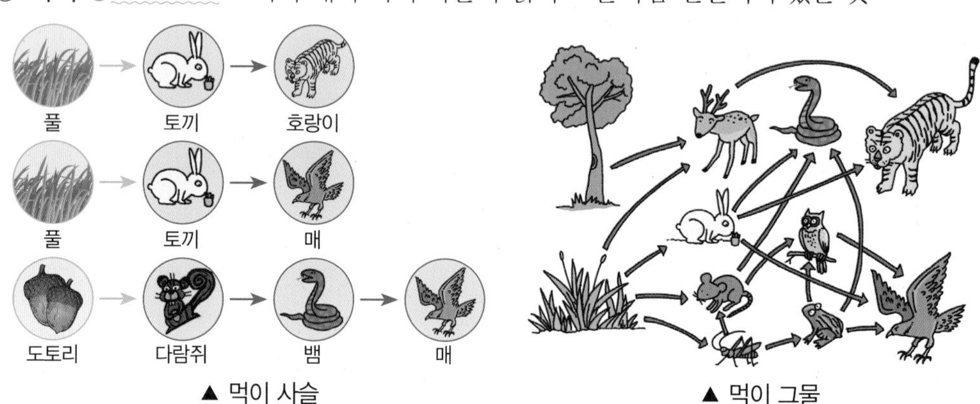

▲ 먹이 사슬 ▲ 먹이 그물

③ 먹이 사슬과 먹이 그물의 공통점과 차이점

구분	먹이 사슬	먹이 그물
공통점	생물의 먹고 먹히는 관계를 나타낸다.	
차이점	한 방향으로만 연결되어 있다.	여러 방향으로 연결되어 있다.

④ 생태계에서 여러 생물들이 함께 살아가기에 유리한 먹이 관계 : 먹이 ⓒ______

- 생물의 먹고 먹히는 관계가 ⓓ______ 방향으로 연결되어 있어서 다양한 먹이를 먹을 수 있기 때문이다.
- 어떤 먹이가 부족하면 ⓔ______ 먹이를 먹고 살아갈 수 있기 때문이다.
- 먹이 사슬에서는 먹이가 하나 밖에 없기 때문이다.

★더 알아보기 생물들 간의 다양한 상호 작용

① **초식** : 초식 동물과 이들이 먹는 식물 간의 상호 관계

② **포식** : 포식하는 동물과 이들이 잡아먹는 피식자 동물 간의 상호 관계
포식자는 피식자로부터 영양소와 에너지를 얻고, 피식자는 죽거나 다친다.

③ **경쟁** : 햇빛, 공간, 양분과 같은 자원을 확보하기 위한 상호 관계 예 숲속 식물들, 담치와 따개비 등

④ **공생** : 서로 도움을 주고받는 관계

⑤ **기생** : 한쪽은 이익을 얻지만 다른 한쪽은 손해를 보는 관계 예 식물과 진딧물, 참나무와 버섯 등

개념 더하기

● **경쟁**

▲ 숲속 식물들

▲ 담치와 따개비

● **공생의 종류**

- 상리공생 : 양쪽 생물 모두가 이득을 주고받는 관계 예 말미잘과 흰동가리, 개미와 진딧물
- 편리공생 : 한쪽은 이익을 얻지만, 다른 쪽은 이득과 손해가 없는 관계 예 고래와 따개비
- 편해공생 : 한쪽은 피해를 보고 다른 한쪽은 아무 영향이 없는 관계 예 푸른곰팡이와 세균

▲ 말미잘과 흰동가리

▲ 개미와 진딧물

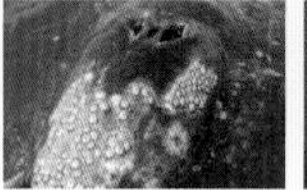
▲ 고래와 따개비

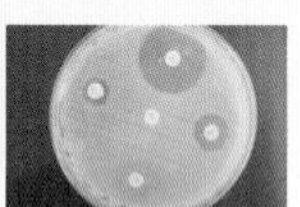
▲ 푸른곰팡이와 세균

● **기생**

▲ 식물과 진딧물

▲ 참나무와 버섯

용어 풀이

- **초식(풀 草, 먹을 食)** 주로 풀을 먹고 삶
- **포식(잡을 捕, 먹을 食)** 다른 동물을 잡아먹음
- **피식(당할 被, 먹을 食)** 다른 동물에게 잡아먹힘

정답

ⓐ 사슬 ⓑ 그물 ⓒ 그물 ⓓ 여러 ⓔ 다른

3 생태 피라미드

1. 생태 피라미드

① 생태 ⓐ＿＿＿＿＿ : 먹이 단계별로 생물의 수를 쌓아 올린 것

② 생태 피라미드의 특징

- 단계가 위로 올라갈수록 생물의 수가 줄어든다.
- ⓑ＿＿＿＿＿ >1차 소비자>2차 소비자>3차 소비자 순으로 생물의 수가 많다.

2. 생태계 평형

① 생태계 ⓒ＿＿＿ : 어떤 지역에 살고 있는 생물의 종류와 수 또는 양이 균형을 유지하며 안정된 상태를 유지하는 것

② 생태계 평형이 조절되는 원리 : 생물들 간의 먹이 관계에 의하여 조절된다.

③ 생태계 변화와 평형

- 국립 공원에서 사는 늑대들은 강가에서 사슴 등 동물을 잡아먹으며 살았다. 1926년 국립 공원 관리자들은 사슴을 보호하기 위해 늑대를 사냥했다.
  → 사슴의 수가 빠르게 ⓓ＿＿＿났고 강가의 사시나무와 버드나무를 모두 먹어버렸다.
  → 강가의 사시나무와 버드나무로 집을 짓고 먹이로 활용하는 비버가 사라졌다.
  → 70년 후 국립 공원에서 늑대를 다시 풀어놓았다.
  → 사슴의 수가 조금씩 ⓔ＿＿＿＿＿었고, 사슴은 늑대를 피해 강가보다 높은 지역에서 대부분의 시간을 보내게 되어 강가에는 사시나무와 버드나무가 다시 자라기 시작했다.
  → 강가에 비버의 수가 다시 늘어났다.

④ 생태 피라미드의 변화

생산자의 수가 갑자기 줄어든다.	1차 소비자의 수가 늘어난다.
→ 1차 소비자의 수가 ⓕ＿＿＿든다. → 2차 소비자의 수가 줄어든다. → 3차 소비자의 수가 줄어든다. → 생태계의 규모가 작아진다.	→ 생산자의 수가 ⓖ＿＿＿들고, 2차 소비자의 수가 ⓗ＿＿＿난다. → 3차 소비자의 수가 늘어난다. → 결국엔 모두 줄어든다.

⑤ 생태계 평형이 깨지는 이유

- 생태 피라미드를 이루는 어떤 생물의 종류나 수가 변할 때
- 가뭄, 홍수, 태풍, 지진, 산불과 같은 자연재해
- 댐, 도로, 건물 건설과 같은 사람들에 의한 파괴

개념 더하기

● 소비자의 구분

- 1차 소비자(초식 동물) : 식물을 먹이로 하는 동물 예 양, 메뚜기, 토끼, 나비, 다람쥐, 말 등
- 2차 소비자(육식 동물) : 1차 소비자를 먹이로 하는 동물 예 개구리, 무당벌레, 뱀, 물고기, 늑대 등
- 3차 소비자(육식 동물) : 2차 소비자를 먹이로 하는 동물 예 매, 뱀, 호랑이 등
- 최종 소비자(육식 동물) : 생태계를 이루는 소비자 중 마지막 소비자 예 매, 늑대, 호랑이 등

● 생태 피라미드에서 사람의 위치

사람을 위협하는 천적이 없으므로 사람은 최종 소비자이다.

용어 풀이

피라미드(pyramid)
윗부분이 뾰족하고 아래로 갈수록 넓어지는 모양

정답

ⓐ 피라미드 ⓑ 생산자
ⓒ 평형 ⓓ 늘어 ⓔ 줄어들
ⓕ 줄어 ⓖ 줄어 ⓗ 늘어

개념기르기

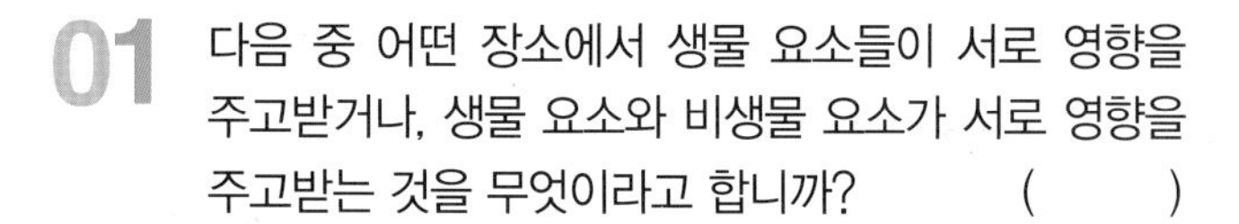

01 다음 중 어떤 장소에서 생물 요소들이 서로 영향을 주고받거나, 생물 요소와 비생물 요소가 서로 영향을 주고받는 것을 무엇이라고 합니까? ( )

① 생물 ② 환경 ③ 생태계
④ 생산자 ⑤ 소비자

02 다음 중 숲속 생태계를 구성하는 요소 중에서 성격이 나머지 넷과 다른 것은 어느 것입니까? ( )

① 개미 ② 토끼 ③ 공기
④ 곰팡이 ⑤ 호랑이

03 다음 중 생물이 양분을 얻는 방법이 나머지 넷과 다른 것은 어느 것입니까? ( )

① 
② 
③ 
④ 
⑤ 

04 다음 중 생태계 구성 요소에 대한 설명으로 옳지 않은 것은 어느 것입니까? ( )

① 생물 요소는 생물이 양분을 얻는 방법에 따라 생산자, 소비자, 분해자로 구분한다.
② 생산자는 살아가는 데 필요한 양분을 스스로 만든다.
③ 소비자는 죽은 생물이나 배출물을 분해하여 양분을 얻는다.
④ 생태계 구성 요소 중 살아 있지 않은 것을 비생물 요소라고 한다.
⑤ 햇빛, 공기, 물, 흙 등은 비생물 요소이다.

05 생태계 구성 요소들 사이의 관련성을 화살표로 연결해 보았습니다. 다음 중 이에 대한 설명으로 옳은 것은 어느 것입니까? ( )

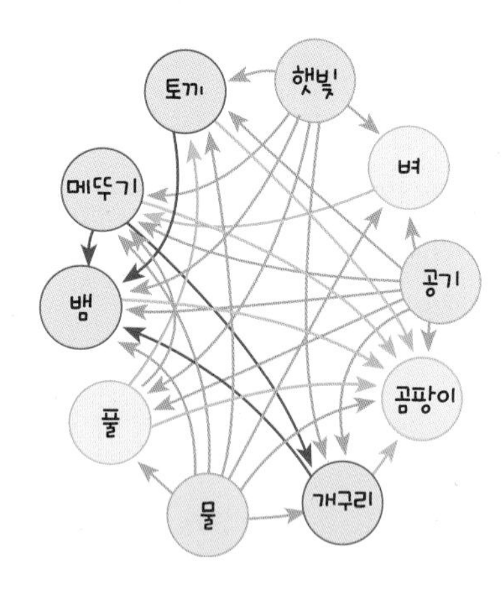

① 개구리는 햇빛을 이용하여 스스로 양분을 만든다.
② 토끼는 물을 먹이로 하여 생활하는데 필요한 양분을 얻는다.
③ 햇빛, 물, 공기 등은 식물이 양분을 만드는 데에만 영향을 준다.
④ 토끼의 배출물과 사체는 뱀에 의해 분해되어 땅을 비옥하게 한다.
⑤ 뱀은 메뚜기, 토끼, 개구리 등을 먹어 생활하는 데 필요한 양분을 얻는다.

06 다음 중 생물의 먹이 관계가 사슬처럼 연결되어 있는 것을 무엇이라고 합니까? ( )

① 생태계 ② 먹이 그물
③ 먹이 사슬 ④ 생태 피라미드
⑤ 생태계의 평형

07 다음 중 생물 사이의 먹이 관계가 바르지 않은 것은 어느 것입니까? ( )

	①	②	③	④	⑤
먹히는 생물	풀	양	도토리	다람쥐	뱀
먹는 생물	양	늑대	다람쥐	양	매

신유형

08 다음 중 먹이 단계별로 생물의 수를 쌓아 올렸을 때의 모양으로 가장 적절한 것은 어느 것입니까? ( )

①

② 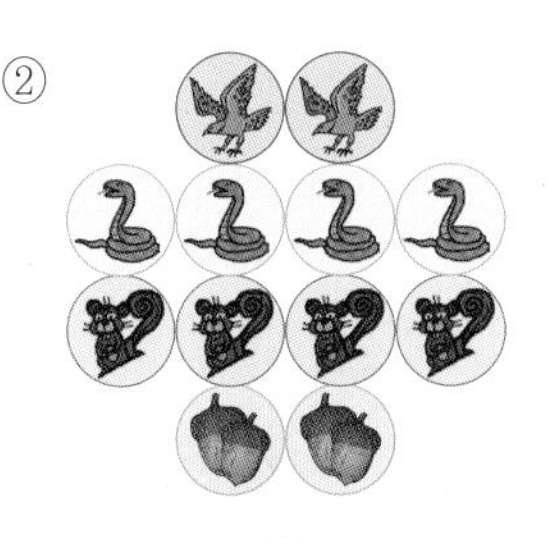

③ 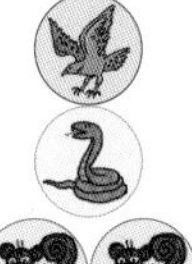  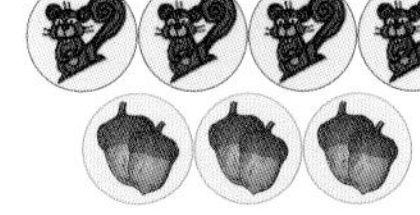 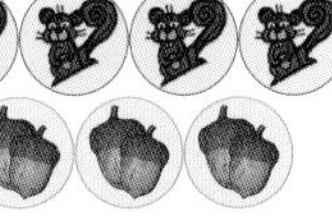

④ 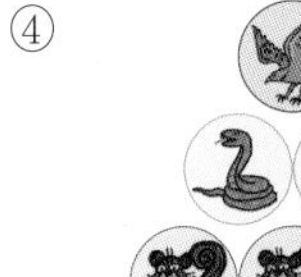 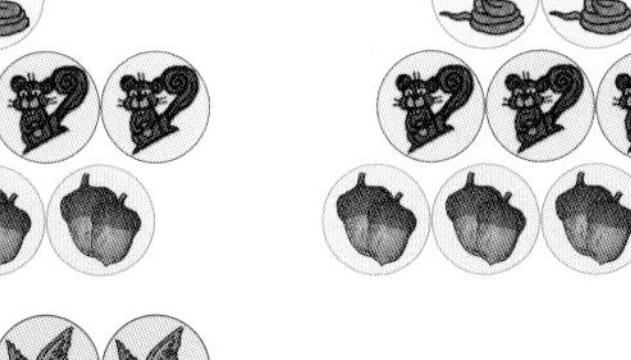

⑤ 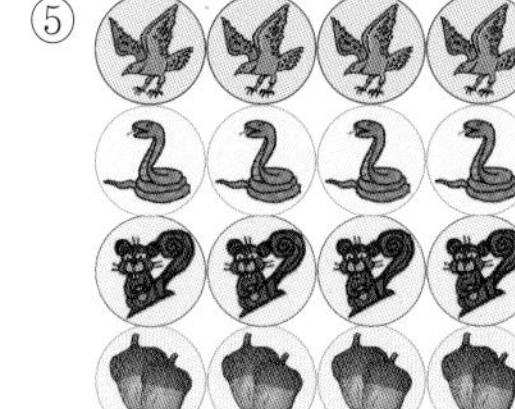

09 다음과 같이 어떤 원인에 의해 생산자의 수가 갑자기 줄어들었을 때 나타날 수 있는 변화로 옳지 않은 것은 어느 것입니까? ( )

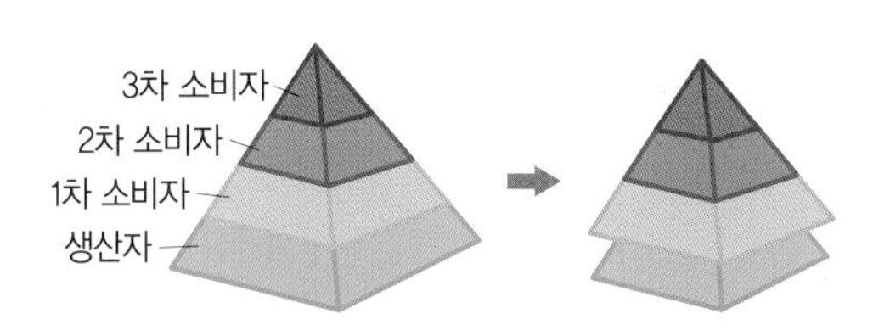

① 생산자를 먹는 1차 소비자의 수가 줄어들 것이다.
② 1차 소비자의 수가 줄어 2차 소비자의 수도 줄어들 것이다.
③ 2차 소비자의 수가 줄어 3차 소비자의 수도 줄어들 것이다.
④ 1차, 2차 소비자의 수는 줄어들고 3차 소비자의 수는 늘어날 것이다.
⑤ 1차, 2차, 3차 소비자의 수가 모두 줄어들 것이다.

중요

10 다음 중 생태계 평형에 대한 설명으로 옳지 않은 것은 어느 것입니까? ( )

① 생태계의 평형은 생물들 간의 먹이 관계에 의해 조절된다.
② 자연재해나 사람들에 의한 파괴로 생태계 평형이 깨질 수 있다.
③ 생태계는 평형을 유지하기 때문에 생태 피라미드를 이루는 생물의 수가 항상 같다.
④ 1차 소비자의 수가 늘어나면 처음에는 생산자의 수가 줄어들고 2차 소비자의 수가 늘어나지만 오랜 시간이 지나면 생태계의 평형이 유지된다.
⑤ 어떤 지역에 살고 있는 생물의 종류와 수 또는 양이 균형을 유지하며 안정된 상태를 유지하는 것을 생태계 평형이라고 한다.

서술형으로 다지기

손에 잡히는 문제 해결

생태계를 구성하는 요소 중 비생물 요소는 무엇인가요?

▼

생태계를 구성하는 요소 중 생물 요소는 무엇인가요?

▼

생물 요소를 생산자, 소비자, 분해자로 구분하는 기준은 무엇인가요?

01 다음은 여러 생물이 살아가는 숲속 생태계의 모습을 나타낸 것입니다. 이 그림에서 생태계를 구성하는 요소를 비생물 요소와 생물 요소로 구분해 보세요.

비생물 요소		
생물 요소	생산자	
	소비자	
	분해자	

손에 잡히는 문제 해결

분해자의 역할은 무엇인가요?

▼

분해자의 활동을 통해 생태계가 얻는 이로운 점은 무엇인가요?

▼

분해자가 만든 것을 이용하는 생물에는 어떤 것이 있나요?

02 버섯, 곰팡이, 세균 등은 죽은 생물이나 배출물을 분해하여 양분을 얻기 때문에 분해자라고 합니다. 만약 분해자가 사라진다면 어떻게 될지 적어보세요.

▲ 버섯

▲ 곰팡이

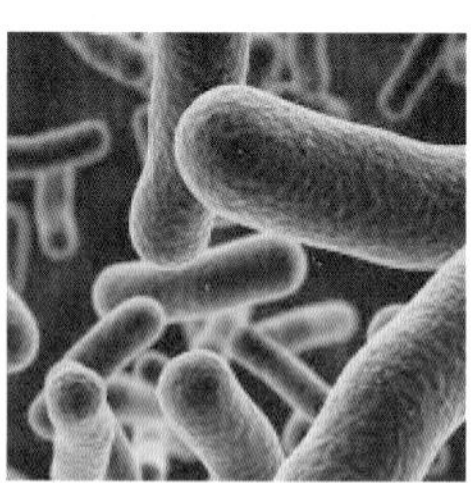

▲ 세균

정답 및 해설
2쪽

03 다음은 먹이 단계별로 생물의 수를 쌓아 올린 생태 피라미드를 나타낸 것입니다. 이 피라미드에서 2차 소비자의 수가 갑자기 늘어나면 어떻게 될지 적어보세요.

손에 잡히는 문제 해결

2차 소비자의 먹이는 무엇인가요?

2차 소비자의 먹이인 생물의 수는 어떻게 되나요?

2차 소비자를 먹는 생물의 수는 어떻게 되나요?

04 다음은 어떤 생태계를 구성하는 생물들의 먹이 관계를 나타낸 먹이 그물입니다. 이처럼 생태계의 먹이 관계가 복잡할 때 좋은 점을 적어보세요.

손에 잡히는 문제 해결

먹이 그물이란 무엇인가요?

먹이 그물이 나타나는 이유는 무엇인가요?

먹이 그물과 생태계의 평형은 어떤 관계가 있나요?

융합사고력 키우기

- ✓ Science
  - ▶ 식물의 기능
- ✓ Technology
  - ▶ 방어기작
- ✓ Engineering
  - ▶ 화학무기
- Art
- Mathematics

식물의 방어기작

'지렁이도 밟으면 꿈틀한다'는 말이 있다. 작고 약해 보이는 생물도 위험에 처하면 가만히 있지 않는다는 의미다. 땅에 뿌리를 내리고 평생 움직이지 않고 사는 식물도 예외는 아니다. 식물은 잎 등을 갉아먹는 해충이 다가오면 고약한 향을 내뿜거나 독이 있는 물질을 내놓아 자신을 공격하지 못하도록 한다. 또한, 식물은 해충이 낳은 알을 없애기 위해 화학물질을 분비하는 것은 물론 해충의 알을 먹는 말벌까지 동원한다.

▲ 흑겨자는 배추흰나비가 자신의 잎에 알을 낳으면
잎을 죽게하거나 말벌을 불러 알이 부화하지 못하게 한다.

식물은 위협적인 소리에도 적극적으로 방어한다. 곤충의 애벌레가 애기장대 잎을 갉아먹는 소리를 녹음해 애기장대에 들려주었더니 애벌레가 잎을 갉아먹지 못하도록 독성 물질(겨자유)을 분비했다. 이러한 소리와 주위 환경에 반응하는 식물의 방어기작을 응용하면, 해충으로부터 식물을 보호할 수 있는 방법을 얻을 수 있다.

애기장대

1 식물의 방어기작은 자극에 대해 반응하고 외부의 침입에 적응해 나가는 생명 현상의 하나로 볼 수 있습니다. 이러한 생명 현상의 특성이 식물에 유리한 점을 적어보세요.

용어 풀이

- **방어기작(막을 防, 막을 禦, 틀 機, 만들 作)**
  자신을 보호하기 위한 행동
- **해충(해칠 害, 벌레 蟲)**
  인간의 생활에 해를 주는 곤충
- **분비(나눌 分, 분비할 泌)**
  물질을 밖으로 내보냄
- **천적(하늘 天, 원수 敵)**
  잡아먹는 동물을 잡아먹히는 동물에 상대하여 이르는 말
- **동원(움직일 動, 인원 員)**
  목적을 이루기 위해 사람을 모으는 것
- **자극(찌를 刺, 찌를 戟)**
  생물체에 작용하여 반응을 일으키게 하는 일
- **항생제(대항할 抗, 생길 生, 약 劑)**
  세균을 죽이는 물질
- **내성(견딜 耐, 성질 性)**
  약에 견디는 성질
- **돌연변이(갑자기 突, 그렇게 될 然, 변할 變, 다를 異)**
  유전자가 갑자기 변해 없던 특징이 나타나고 자손에게까지 전달되는 일

2 우리 몸은 유해 물질이 침입하면 방어 물질을 분비합니다. 오른쪽 그래프는 같은 유해 물질이 1차 침입과 2차 침입했을 때 우리 몸이 분비하는 방어 물질의 농도를 나타낸 것입니다. 애기장대가 잎을 갉아먹는 소리에 반응하는 현상과 우리 몸에서 방어 물질을 분비하는 현상의 공통점을 적어보세요.

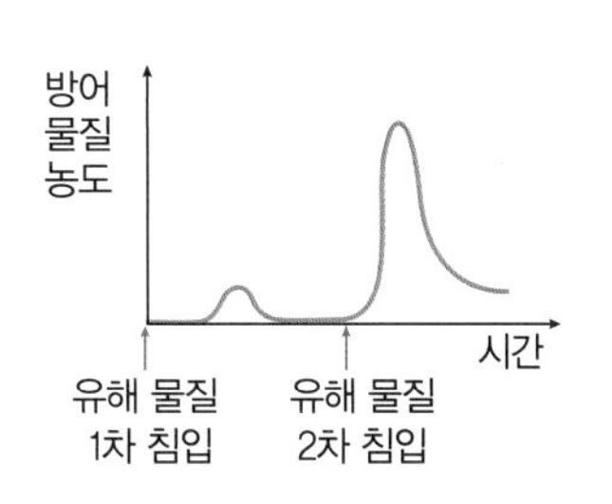

손에 잡히는 STEAM

애기장대가 녹음한 소리에 반응한 이유는 무엇인가요?

▼

그래프에서 유해 물질의 1차 침입과 2차 침입 때 방어 물질의 농도는 어떻게 달라지나요?

▼

그래프에서 유해 물질의 1차 침입과 2차 침입 때 방어 물질이 분비되는 빠르기는어떻게 달라지나요?

논술형

3 '슈퍼 박테리아'는 잦은 항생제 사용으로 내성이 생겨 강력한 항생제에도 죽지 않는 박테리아(세균)입니다. 이는 항생제에 저항할 수 있도록 유전자에 돌연변이가 일어났기 때문입니다. 많은 생물은 적응되고 진화하면서 자신의 피해를 최소화합니다. 해충의 알이 식물이 분비하는 독성 물질에 피해를 입지 않으면서 번식할 수 있는 방법을 적어보세요.

손에 잡히는 STEAM

박테리아(세균)는 살아남기 위해 어떤 방법을 사용하나요?

▼

식물은 해충이 알을 낳은 것을 어떻게 알아채나요?

▼

알이 식물의 독성 물질을 방어할 수 있는 방법은 무엇인가요?

환경에 영향을 받고 환경에 적응된 생물

02 생물과 환경

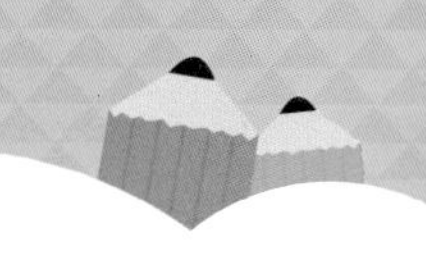

1 비생물 요소와 생물

1. 햇빛과 물이 콩나물 자람에 미치는 영향

① 햇빛이 콩나물 자람에 미치는 영향을 알아보기 위한 실험 조건

- **같게 할 것 :** 자른 페트병의 크기, 콩나물의 수, 콩나물 줄기의 길이와 굵기, 물의 양, 물을 주는 횟수
- **다르게 할 것 :** 콩나물이 받는 ⓐ______의 양

② 물이 콩나물 자람에 미치는 영향을 알아보기 위한 실험 조건

- **같게 할 것 :** 자른 페트병의 크기, 콩나물의 수, 콩나물 줄기의 길이와 굵기, 콩나물이 받는 햇빛의 양
- **다르게 할 것 :** 콩나물에 주는 ⓑ____의 양

탐구 햇빛과 물이 콩나물의 자람에 미치는 영향

탐구 과정

① 자른 페트병 네 개의 입구 부분을 거꾸로 하여 탈지면을 깔고 비슷한 굵기와 길이의 콩나물을 각각 같은 양으로 담는다. 잘라 낸 페트병의 나머지 부분은 물 받침대로 사용한다.

② 페트병 두 개는 햇빛이 드는 곳에 두고, 그중 하나에만 물을 준다.

③ 나머지 페트병 두 개는 어둠상자로 덮어 햇빛을 가린 다음, 그중 하나에만 물을 준다.

④ 일주일 동안 콩나물이 자라는 모습을 관찰한다.

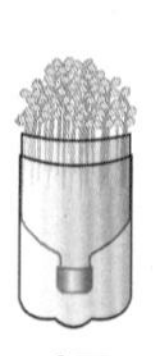

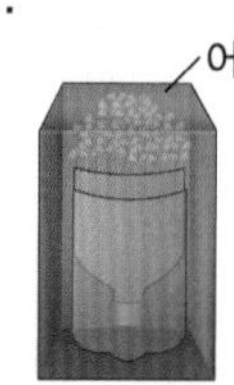

탐구 결과 및 결론

① 콩나물의 변화

햇빛을 받게 하고 물을 주지 않은 콩나물	• 떡잎이 연한 초록색으로 변한다. • 줄기가 가늘어지고 ⓒ______진다.
햇빛을 받게 하고 물을 준 콩나물	• 떡잎과 줄기가 ⓓ______색으로 변한다. • 줄기가 처음보다 길어지고 ⓔ______진다.
어둠상자로 덮고 물을 주지 않은 콩나물	• 떡잎이 노란색이다. • 줄기가 매우 가늘어지고 시든다.
어둠상자로 덮고 물을 준 콩나물	• 떡잎이 ⓕ______색이다. • 줄기가 곧고 길게 자란다.

② 식물이 자라는 데에는 햇빛과 물이 영향을 준다.

개념 더하기

● 콩나물 구조

- **떡잎 :** 콩나물 머리라고 부르는 노란색 윗부분
- **본잎 :** 떡잎 사이에서 나오는 잎
- **하배축 :** 떡잎 아래의 하얗고 가느다란 부분
- **뿌리 :** 뿌리털이 있는 콩나물 아랫부분

● 우리가 먹는 콩나물

떡잎이 노랗고 떡잎 아래 몸통이 길쭉한 것으로 햇빛을 받지 않게 하고 물을 준 조건에서 키운 것이다.

용어 풀이

떡잎
씨앗에서 처음 나오는 잎으로, 보통의 잎과 모양이 다르고 양분을 저장하고 있다.

정답

ⓐ 햇빛 ⓑ 물 ⓒ 길어 ⓓ 초록 ⓔ 굵어 ⓕ 노란

2. 비생물적 요소가 생물에 미치는 영향

온도	• 추운 계절이 다가오면 개나 고양이가 털갈이를 한다. • 철새는 먹이를 구하거나 새끼를 기르기에 알맞은 장소를 찾아 먼 거리를 이동한다. • 식물의 잎에 단풍이 들고 낙엽이 진다.
햇빛	• 식물은 햇빛을 이용하여 ⓐ______을 만든다. • 꽃이 피는 시기와 동물의 번식 시기에 영향을 준다.
물	• 물은 생물이 생명을 유지하는 데 반드시 필요하며, 생물의 몸을 이루는 중요한 성분이다. • 식물은 뿌리를 통해 물을 흡수하고, 동물은 물을 마신다. • 물고기와 같이 물에 사는 생물은 물이 없으면 살 수 없다.
흙	• 생물이 살아가는 터전을 제공한다. • 식물이 자랄 수 있는 양분을 제공한다.
공기	• 생물이 숨을 쉴 수 있게 해준다.

2 환경에 적응된 생물

1. 적응

① ⓑ________ : 생물이 사는 곳 예 숲, 강, 바다, 사막 등

② ⓒ______ : 특정한 서식지에서 오랜 기간에 걸쳐 살아남기에 유리한 특징이 자손에게 전달된 것

2. 환경에 적응된 여우

북극여우 가족	사막여우 가족	초원여우 가족

• 귀가 ⓓ____다. • 몸집이 크다. • 몸 전체가 하얀색 털로 덮여 있고 발바닥에도 털이 있다.	• 귀가 ⓔ____다. • 몸이 마른 편이다. • 상아색 털로 덮여 있고, 발과 얼굴 부분은 몸통보다 연하다.	• 배 부분은 회색 털, 등 부분에는 황토색 털이 있다. • 꼬리털이 덥수룩하다. • 주둥이가 좁고 돌출되어 있다.

서식지 환경과 털 색깔이 비슷하여 적으로부터 몸을 숨기거나
먹잇감에 접근하기 쉬우므로 살아남기에 유리하다.

개념 더하기

● **사막여우와 북극여우의 특징**
- 더운 사막에 사는 여우는 몸에 지방이 적고 마른 편이며 귀가 커서 열을 잘 방출할 수 있다.
- 추운 북극에 사는 여우는 추위에 견딜 수 있도록 지방층이 두꺼워 몸집이 크고 귀가 작아 열의 손실을 줄일 수 있다.

● **북극여우의 적응색**
- 북극에 살고 있던 수많은 여우들 중에서 북극 환경에 적합한 특성을 지닌 여우들이 살아남았고, 오랫동안 이 여우들이 번성하여 살아남은 것이 현재의 북극여우이다.
- 북극여우는 여름에는 갈색, 겨울에는 하얀색, 그 외 계절에는 어두운색으로 털갈이를 하여 계절별 주변 환경과 색이 비슷하다.

▲ 여름철 북극여우

▲ 겨울철 북극여우

용어 풀이

✓ **적응(맞을 適, 응할 應)**
환경에 더 적합한 특징을 나타내는 유전자가 다음 세대의 자손에게 전달되는 것

정답

ⓐ 양분 ⓑ 서식지 ⓒ 적응
ⓓ 작 ⓔ 크

02 생물과 환경

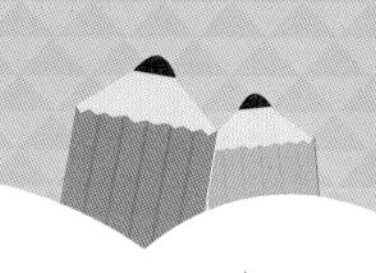

개념 더하기

● 먹이에 따라 적응된 새 부리

- 독수리 : 부리가 튼튼하고 갈고리처럼 끝이 휘어져 고기를 찢어 먹기에 유리하다.
- 콩새 : 부리가 짧고 뾰족하여 나무의 씨나 열매를 쪼아 먹기 유리하다.
- 왜가리 : 부리가 가늘고 길어서 물에 머리를 넣지 않고 물속의 새우나 물고기 등을 잡아먹기 유리하다.

▲ 독수리 ▲ 콩새

▲ 왜가리

용어 풀이

- 철새
  철을 따라 이리저리 옮겨 다니며 사는 새
- 환경 오염(고리 環, 지경 境, 더러울 汚, 물들 染)
  사람들의 활동으로 물, 흙, 공기 등의 자연환경이나 생활 환경이 손상되는 현상

정답

ⓐ 건조 ⓑ 철새 ⓒ 몸
ⓓ 겨울 ⓔ 보호 ⓕ 사람들

3. 다양한 환경에 적응된 생물

① **선인장의 줄기와 잎** : 굵은 줄기와 뾰족한 가시(잎)는 ⓐ_____ 한 환경에서 수분을 저장하고 수분 손실을 줄이기 유리하게 적응되었다.

② ⓑ_____**의 이동** : 먹잇감이 많고 온도가 알맞은 곳을 찾아 서식지를 이동하도록 적응되었다.

③ **대벌레의** ⓒ_____ : 생김새가 가늘고 길쭉하여 나뭇가지가 많은 환경에서 적으로부터 몸을 숨기기 유리하게 적응되었다.

④ **밤송이의 가시** : 가시가 있어 밤을 먹으려고 하는 적으로부터 밤을 보호하기 유리하게 적응되었다.

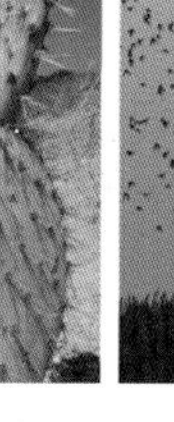

▲ 선인장

▲ 철새의 이동

▲ 대벌레

▲ 밤송이

⑤ **다람쥐의 겨울잠** : 겨울잠을 자며 몸에 저장된 양분을 천천히 사용함으로써 추운 ⓓ_____ 을 지내기 유리하게 적응되었다.

⑥ **공벌레의 오므리는 행동** : 몸을 오므려서 적의 공격으로부터 몸을 ⓔ_____ 하기 유리하게 적응되었다.

⑦ **올빼미 나비의 날개 무늬** : 올빼미의 눈처럼 생긴 날개 무늬로 적의 공격으로부터 몸을 보호하기 유리하게 적응되었다.

⑧ **바다뱀의 독** : 강한 독으로 바닷속에서 빠르게 움직이는 먹잇감을 사냥하기 유리하게 적응되었다.

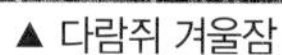

▲ 다람쥐 겨울잠

▲ 공벌레

▲ 올빼미 나비의 날개 무늬

▲ 바다뱀의 독

3 환경 오염과 생물

1. **환경 오염** : ⓕ_____ 의 생활로 자연환경이나 생활 환경이 더럽혀지거나 훼손되는 현상 예 대기 오염, 수질 오염, 토양 오염 등

2. 환경 오염의 원인과 생물에게 미치는 영향

환경	오염의 원인	생물에게 미치는 영향
ⓐ______ 오염	• 자동차 배기가스 배출 • 공장의 매연 배출	• 황사나 미세 먼지로 동물의 호흡 기관에 이상이 생기거나 병에 걸린다. • 자동차의 배가가스는 생물의 성장에 피해를 준다. • 이산화 탄소 등이 많이 배출되면 지구의 평균 온도가 높아지고 생물의 서식지가 변한다.
ⓑ______ 오염	• 생활 하수 배출 • 공장 폐수 배출 • 해양 사고로 인한 기름 유출 • 쓰레기	• 화학물질로 인해 물이 오염되면 그곳에 살고 있는 물고기가 죽는다. • 유조선의 기름 유출로 인해 생물의 서식지가 파괴된다.
ⓒ______ 오염	• 생활 쓰레기 배출 • 농약과 비료의 지나친 사용	• 토양의 사막화로 인해 식물이 잘 자라지 못한다. • 쓰레기 매립은 토양을 오염시켜 주변에 심각한 악취를 풍긴다.

3. 사람들의 생활이 생태계에 미치는 해로운 영향

환경을 오염하는 사람들의 생활	생태계에 미치는 해로운 영향
• 합성 세제 사용, 음식물 남기기, 쓰레기 버리기, 일회용품 사용, 오염 물질 배출 • 지나친 난방 및 냉방 • 도로, 공장, 주택 건설 개발 • 간척 사업	• 생활 폐기물이 생겨 물과 토양이 오염된다. • 동식물이 서식지를 잃게 된다. • 생물의 종류나 수가 줄어들고 멸종되기도 한다. • 결국 생태계 ⓓ______을 깨트린다.

4. 생태계 보전을 위한 방법

개인 또는 사회	• 세제를 필요 이상으로 사용하지 않는다. • 음식을 남기지 않는다. • 일회용품 사용을 줄이고, 쓰레기를 분리 배출한다. • 가까운 거리는 걸어 다니거나 자전거를 이용하여 이산화 탄소의 배출량을 줄인다. • 자동차나 공장에서 발생하는 매연의 양을 줄인다. • 에너지 소비 효율 등급이 높은 제품을 사용한다.
국가	• 생태 통로를 건설하고 생태 공원을 조성한다. • 보호 지역을 지정하고 멸종 위기 생물을 복원한다. • 나무를 심고, 무분별한 개발을 하지 않는다. • 환경 관련법을 만들거나 환경 보호법을 강화한다. ▲ 생태 통로 ▲ 생태 공원

개념 더하기

● **생태계를 보전해야 하는 까닭**

- 동물이나 식물 등 생태계 내에서 살고 있는 생물의 생명이 소중하기 때문이다.
- 생태계가 파괴되면 결국 사람에게도 좋지 않은 영향을 끼치기 때문이다.
- 생태계를 구성하는 환경은 한 번 파괴되면 원래대로 회복하는 데 시간이 오래 걸리고, 많은 노력이 필요하기 때문이다.

용어 풀이

간척 사업(막을 干, 넓힐 拓, 일 事, 일 業)
바다나 호수 주위에 둑을 쌓고 안의 물을 빼내어 육지로 만드는 일

보전(지킬 保, 온전할 全)
온전하게 보호하여 유지함

복원(회복할 復, 으뜸 元)
부서지거나 없어진 사물을 원래의 모습이나 상태로 되돌려 놓는 것

정답

ⓐ 대기 ⓑ 수질 ⓒ 토양
ⓓ 평형

개념기르기

[01~03] 다음은 햇빛과 물이 콩나물의 자람에 미치는 영향을 알아보기 위한 실험을 나타낸 것입니다. 물음에 답하세요.

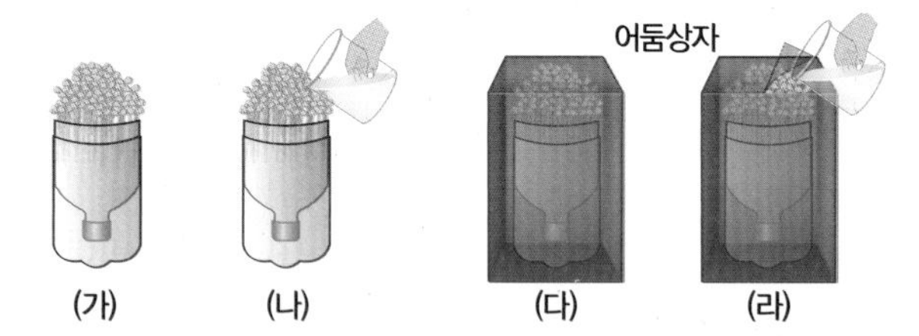

01 위 (가)~(라) 중 햇빛이 콩나물의 자람에 미치는 영향을 알아보기 위해 비교해야 하는 것으로 바르게 짝지어진 것은 어느 것입니까? ( )

① (가), (나) ② (가), (라)
③ (나), (다) ④ (나), (라)
⑤ (다), (라)

중요

02 위 (가)~(라) 중 물이 콩나물의 자람에 미치는 영향을 알아보기 위해 비교해야 하는 것으로 바르게 짝지어진 것은 어느 것입니까? ( )

① (가), (나) ② (가), (다)
③ (가), (라) ④ (나), (다)
⑤ (나), (라)

03 위 실험 결과에 대한 설명으로 옳은 것은 어느 것입니까? ( )

① (가)의 콩나물은 떡잎은 노란색이고 줄기가 처음보다 길어지고 가늘어진다.
② (나)의 콩나물은 떡잎과 줄기가 초록색으로 변하고 줄기가 처음보다 길어지고 굵어진다.
③ (다)의 콩나물은 줄기가 처음보다 길어지고 굵어진다.
④ (라)의 콩나물은 떡잎이 노란색이고 시든다.
⑤ (가)~(라)의 콩나물 모두 떡잎이 초록색으로 변한다.

04 다음 중 콩나물 떡잎의 색깔을 노란색에서 초록색으로 변하게 하는 비생물 요소는 어느 것입니까? ( )

① 물 ② 흙 ③ 빛
④ 공기 ⑤ 온도

05 다음 중 햇빛이 생물의 생활에 주는 영향에 대한 설명으로 옳은 것은 어느 것입니까? ( )

① 햇빛이 없으면 숨을 쉴 수 없다.
② 식물은 햇빛을 이용하여 양분을 만든다.
③ 동물이 자랄 수 있도록 양분을 제공한다.
④ 햇빛은 생물의 몸을 이루는 중요한 성분이다.
⑤ 식물은 햇빛이 없는 곳에서 튼튼하게 자란다.

06 다음 중 온도가 생물의 생활에 주는 영향에 대한 설명으로 옳지 않은 것을 모두 고르세요. (,)

① 생물이 살아가는 터전을 제공한다.
② 식물의 잎에 단풍이 들고 낙엽이 진다.
③ 철새가 먹이를 구하기 위해 먼 거리를 이동한다.
④ 꽃이 피는 시기와 동물의 번식 시기에 영향을 준다.
⑤ 추운 계절이 다가오면 개나 고양이가 털갈이를 한다.

신유형

07 다음 중 생물이 특정한 서식지에서 오랜 기간에 걸쳐 살아남기에 유리한 특징이 자손에게 전달된 것을 무엇이라고 합니까? ( )

① 환경 ② 적응 ③ 영향
④ 보존 ⑤ 생활

08 동물들은 자신이 서식하는 환경에 따라 다양한 방법으로 적응됩니다. 다음 중 모양의 변화를 통해 적응된 동물은 어느 것입니까? (　　)

① 
② 
③ 
④ 
⑤ 

신유형

09 다음 중 북극여우 가족이 눈이 덮인 환경에서 잘 살아남을 수 있는 특징으로 옳은 것은 어느 것입니까? (　　)

① 시각이 빛에 민감하지 않다.
② 눈이 크고 잘 발달되어 있다.
③ 털이 짧아 추위를 많이 느낀다.
④ 귀가 커서 몸속의 열을 잘 내보낸다.
⑤ 몸 전체가 하얀색 털로 덮여 있어 적으로부터 몸을 숨기기 쉽다.

10 다음 중 자동차 배기가스나 공장의 매연 등으로 공기가 오염되었을 때 나타나는 현상으로 옳지 않은 것을 모두 고르세요. (　,　)

① 주변에 심각한 악취를 풍긴다.
② 산사태나 산불이 발생하는 횟수가 증가한다.
③ 자동차의 배기가스가 생물의 성장에 피해를 준다.
④ 이산화 탄소가 많이 배출되면 지구의 평균 온도가 높아진다.
⑤ 황사나 미세 먼지로 동물의 호흡 기관에 이상이 생기거나 병에 걸린다.

11 다음 중 사람들의 생활이 생태계에 미치는 영향에 대한 성격이 나머지와 다른 하나는 어느 것입니까? (　　)

① 합성 세제를 사용한다.
② 산을 깎아 도로나 댐을 만든다.
③ 간척 사업을 하여 육지를 만든다.
④ 도로 위에 생태 통로를 만든다.
⑤ 강 주변에 아파트를 짓거나 공장을 세운다.

중요

12 다음 중 생태계를 보전하는 방법으로 옳지 않은 것은 어느 것입니까? (　　)

① 쓰레기를 분리 배출한다.
② 일회용품 사용량을 줄인다.
③ 가까운 거리는 걸어 다닌다.
④ 쓰레기를 태워서 모두 없앤다.
⑤ 에너지 소비 효율 등급이 높은 제품을 사용한다.

서술형으로 다지기

손에 잡히는 문제 해결

실험 목적은 무엇인가요?

실험에서 다르게 해야 하는 조건은 무엇인가요?

실험에서 같게 해야 하는 조건은 무엇인가요?

01 물이 콩나물의 자람에 미치는 영향을 알아보기 위한 실험을 할 때 같게 해야 할 것과 다르게 해야 할 것을 적어보세요.

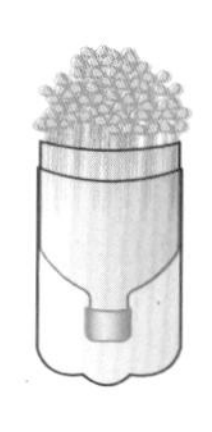

(1) 같게 해야 할 것 :

(2) 다르게 해야 할 것 :

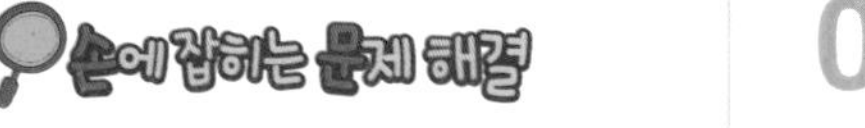

손에 잡히는 문제 해결

북극의 환경은 어떠한가요?

사막의 환경은 어떠한가요?

북극에 사는 사람의 체형이 사막에 사는 사람의 체형과 다른 이유는 무엇인가요?

02 북극에 사는 에스키모인들은 대체로 팔과 다리가 짧고 큰 가슴과 긴 상체를 가지고 있으며 전체적으로 체형이 뭉툭하다. 반대로 사막에 사는 사람들은 가늘고 길다. 북극에 사는 사람들의 체형이 뭉툭한 이유를 환경과 관련지어 적어보세요.

▲ 에스키모인

▲ 사막인

03 각 여우 가족이 살아가기 적당한 서식지를 바르게 연결하고 그렇게 연결한 이유를 적어보세요.

손에 잡히는 문제 해결

모래로 뒤덮인 곳의 특징은 무엇인가요?

▼

눈이 덮은 곳의 특징은 무엇인가요?

▼

풀과 돌로 덮여 있는 곳의 특징은 무엇인가요?

04 다음과 같은 사람들의 활동이 생태계에 미치는 영향을 적어보세요.

> OO시는 아름다운 자연에서 맑은 공기를 마시며 운동하고 싶어 하는 시민들의 요구를 받아들여, OO시에서 가장 큰 산을 깎아 골프장을 짓는 공사를 진행 중입니다.

골프장을 지으려면 산을 어떻게 해야 하나요?

▼

산을 깎으면 산에 살던 동식물들은 어떻게 되나요?

▼

골프장에서 만들어지는 폐기물은 생태계에 어떤 영향을 주나요?

융합사고력 키우기

STEAM

- ✓ Science
  - ▶ 수질 오염
- ✓ Technology
  - ▶ 소용돌이
- Engineering
- Art
- Mathematics

소용돌이가 녹조 현상에 미치는 영향

수질 오염은 물에 오염 물질이 들어왔을 때 이를 자정작용으로 정화할 수 있는 수준을 넘어서는 상태가 되어 주위 환경 및 생물에 피해를 주는 현상이다. 수질 오염의 종류에는 부영양화, 녹조 현상, 적조 현상, 중금속 오염, 합성 세제나 농약으로 인한 오염 등이 있다. 이 중 녹조 현상은 수온이 올라가면 강이나 바다에 식물성 플랑크톤인 녹조류가 많이 늘어나 물색이 녹색으로 바뀌는 것이다. 녹조 현상이 일어나면 빛과 산소가 물속 깊이까지 들어가지 못해 물고기가 죽어 악취가 발생하는 등 수중 생태계가 나빠진다.

지금까지 녹조는 수온이 높거나, 물속에 영양염류가 지나치게 많으면 일어난다고 알려져 있었다. 그런데 최근 녹조의 새로운 원인으로 수면에 생기는 소용돌이가 주목받고 있다. 바다 표면에서 생기는 거대한 소용돌이가 식물성 플랑크톤의 번성을 부추겨 녹조 현상이 일어난다는 것이다. 바닷물의 흐름에 따라 움직이는 장치(플로트)와 바닷속 1,000 m까지 잠수해 관측하는 글라이더를 이용해 북대서양의 수온과 물의 속도, 식물성 플랑크톤의 분포 등을 분석한 결과, 소용돌이가 식물성 플랑크톤이 바다 밑으로 내려가지 못하게 막는 것을 확인했다. 또한, 인공위성 사진을 이용해 소용돌이에 따라 식물성 플랑크톤의 분포와 농도가 달라지는 것도 확인했다.

녹조 현상

1 녹조 현상을 줄일 수 있는 방법을 두 가지 적어보세요.

-
-

용어 풀이

- **자정작용(스스로 自, 깨끗할 淨, 만들 作, 쓸 用)**
  오염된 물이 저절로 깨끗해지는 현상
- **부영양화(부유할 富, 경영할 營, 기를 養, 될 化)**
  물속에 영양분이 많이 들어 있는 현상
- **중금속(무거울 重, 쇠 金, 무리 屬)**
  납, 수은, 카드뮴, 주석, 아연, 니켈 등의 무거운 원소
- **영양염류(경영할 營, 기를 養, 소금 鹽, 무리 類)**
  바닷물 속의 염류를 통틀어 말하며, 식물성 플랑크톤의 몸체를 구성한다.
- **소용돌이**
  물이 빙빙 돌면서 흐르는 현상

2 겨울철 바다에서는 따뜻한 물이 위로 올라오기 때문에 수면에 있던 식물성 플랑크톤이 바다 깊이 내려가고 심해에 쌓여 있던 영양염류가 수면으로 올라옵니다. 봄이 되고 햇빛이 강해지면 수면에서 식물성 플랑크톤이 늘어나고, 이 과정에서 녹조 현상이 일어납니다. 이처럼 수중 생태계의 물질 순환에서 녹조 현상은 한 번 일어나면 계속해서 나타납니다. 이를 통해 볼 때, 녹조 현상은 수직 운동이 활발한 해수와 활발하지 않은 해수 중 어느 곳에서 더 심각할지 이유와 함께 적어보세요.

손에 잡히는 STEAM

녹조 현상의 주요 원인은 무엇인가요?

▼

녹조 현상이 계속해서 일어나는 이유는 무엇인가요?

▼

녹조 현상과 해수의 수직 운동은 어떤 관계가 있나요?

논술형

3 바닷물이나 하천에서 오염 물질이 퍼지면 수질 오염이 심각해질 것으로 생각할 수 있습니다. 하지만 오염 물질이 한곳에 머무르지 않고 퍼지면 오염 물질의 농도가 점점 낮아지고 물의 자정작용이 활발해지기 때문에 수질 오염 속도가 느려진다고 보는 것이 옳습니다. 이를 바탕으로 바닷물의 농도와 수질 오염 속도의 관계를 적어보세요.

손에 잡히는 STEAM

수질 오염의 원인은 무엇인가요?

▼

바닷물 속의 염분은 물질이 퍼지는 속도에 어떤 영향을 미치나요?

▼

바닷물의 농도와 수질 오염 속도는 어떤 관계가 있나요?

탐구력 키우기

흙 속의 분해자

흙 속에 사는 미생물, 곰팡이, 버섯과 같은 균류나 세균은 죽은 생물이나 배출물을 분해하여 양분을 얻는 분해자입니다. 흙 속에 있는 분해자가 하는 일을 실험으로 확인해보세요.

준비물

운동장 흙, 부엽토, 체, 지퍼 백 2개, 녹말 용액, 물, 석회수, 숟가락, 비커, 신문지, 아이오딘-아이오딘화 칼륨 용액, 주사기, 페트리접시 2개, 스포이트

탐구 과정

① 운동장 흙과 부엽토를 고운 체로 쳐서 흙 속에 사는 작은 동물들을 없앤다.
② 운동장 흙과 부엽토를 지퍼 백에 각각 200 g씩 넣는다.
③ 각 지퍼 백에 녹말 용액을 같은 양으로 축축할 정도로 뿌린다.
④ 각 지퍼 백에 같은 양의 공기를 넣은 후, 밀봉한다.
⑤ 두 지퍼 백을 따뜻한 곳에 하루 동안 놓아둔다.
⑥ 하루 뒤 주사기 바늘로 두 지퍼 백에 들어 있는 기체를 각각 뽑아내어 석회수에 통과시킨다.
⑦ 두 지퍼 백에 들어 있는 흙을 각각 한 숟가락씩 페트리접시에 놓고, 아이오딘-아이오딘화 칼륨 용액을 충분히 떨어뜨려 용액이 한쪽으로 흘러내리게 하여 색깔을 비교한다.

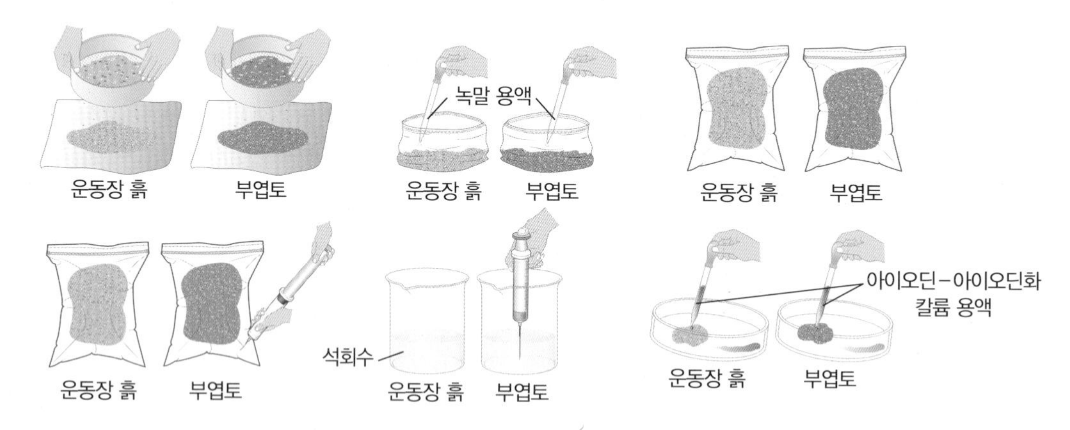

주의사항

- 아이오딘-아이오딘화 칼륨 용액 대신 약국에서 포비돈 용액을 사서 사용해도 된다.
- 아이오딘-아이오딘화 칼륨 용액은 녹말과 만나면 청람색으로 색이 바뀐다.
- 녹말 용액은 물 100 mL에 녹말가루 0.5 g(작은 티스푼)을 넣어 만든다.

정답 및 해설
5쪽

1 두 지퍼 백의 기체를 뽑아 석회수에 통과시켰을 때의 변화를 적어보세요.

운동장 흙 지퍼 백의 공기	
부엽토 지퍼 백의 공기	

2 두 지퍼 백에 든 흙에 아이오딘-아이오딘화 칼륨 용액을 떨어뜨렸을 때의 변화를 적어보세요.

운동장 흙	
부엽토	

3 두 종류 흙 중 흙 속의 물질 순환이 잘 일어나는 것을 고르고, 그렇게 생각한 이유를 적어보세요.

STEAM

4 산불이 한 번 발생하면 정성껏 가꾼 산림이 한순간에 잿더미로 변하고, 몇 년이 지나더라도 풀 한 포기 자랄 수 없는 땅으로 변합니다. 산에 쌓인 낙엽은 작은 불씨에도 활활 타올라 화재 위험이 더 커지고 있습니다. 요즘 산에는 쌓인 낙엽이 몇 년이 지나도 썩지 않아 무릎까지 차오른 낙엽층을 볼 수 있습니다. 산에 낙엽이 많이 쌓인 이유를 적어보세요.

산성비

Ⅱ 날씨와 우리 생활

03 날씨 현상과 바람

04 해륙풍과 계절별 날씨

★ 2015 개정 교육과정 교과서

초등 5~6학년 군 :
5학년 2학기 3단원 날씨와 우리 생활

★ 다른 학년과의 연계

초등 3~4학년 군 : 물의 상태 변화, 물의 여행
중학교 1~3학년 군 : 기권과 날씨

습도, 이슬, 안개, 구름, 비, 눈 등

03 날씨 현상과 바람

1 습도

1. 습도 : 공기 중에 수증기가 포함된 정도

2. 습도 측정하기

탐구 건습구 습도계로 습도 측정하기

탐구 과정

① 온도계 하나는 액체샘을 헝겊으로 감싼 뒤, 고무줄로 고정한다.
② 스탠드와 뷰렛 클램프를 사용하여 온도계 두 개를 설치한다.
③ 헝겊으로 감싼 온도계 아래에 물이 담긴 비커를 놓고 헝겊의 아랫부분이 물에 잠기도록 한다.
④ 10분이 후 온도계 두 개의 온도를 측정한다.

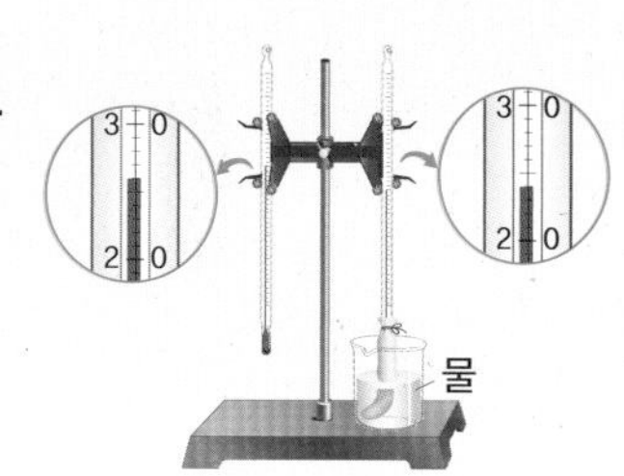

실험 결과 및 결론

① 건구 온도는 26 ℃이고 습구 온도는 24 ℃이다.
② 두 온도계의 온도 차는 2 ℃이므로 습도는 ⓐ______%이다.
③ 헝겊으로 감싼 습구 온도계는 물이 ⓑ______하면서 열을 빼앗으므로 건구 온도계의 온도보다 낮다.
④ 건조할수록 물이 많이 증발하므로 온도 차가 ⓒ___진다.

3. 습도와 우리 생활

① 생활하기에 알맞은 습도 : 약 40~70 %

② 습도가 우리 생활에 미치는 영향

습도가 낮을 때	습도가 높을 때
• 빨래가 잘 마른다. • 피부가 건조해진다. • 산불이 발생하기 쉽다. • 감기와 같은 호흡기 질환이 생기기 쉽다.	• 곰팡이가 잘 생긴다. • 빨래가 잘 마르지 않는다. • 음식물이 빨리 부패한다. • 식탁에 놓아둔 과자나 김이 쉽게 눅눅해진다.

③ 습도 조절 방법

습도를 높이는 방법	습도를 낮추는 방법
• 겨울철에 가습기를 사용한다. • 실내에 젖은 빨래를 넌다.	• 옷장이나 신발장에 제습제를 놓는다. • 마른 숯을 실내에 둔다.
• 실내에서 키우는 식물은 적절한 습도를 유지하는 데 도움을 준다.	

개념 더하기

● **습도표** (단위 : %)

건구 온도(℃)	0	1	2	3	4	5	6	7	8	9	10
	건구 온도와 습구 온도의 온도 차(℃)										
13	100	89	79	69	59	50	41	32	22	15	7
14	100	90	79	70	60	51	42	34	26	18	10
15	100	90	80	71	61	53	44	36	27	20	13
16	100	90	81	71	63	54	46	38	30	23	15
17	100	90	81	72	64	55	47	40	32	25	18
18	100	91	82	73	65	57	49	41	34	27	20
19	100	91	82	74	65	58	50	43	36	29	22
20	100	91	83	74	66	59	51	44	37	31	24
21	100	91	83	75	67	60	53	46	39	32	26
22	100	92	83	76	68	61	54	47	40	34	28
23	100	92	84	76	69	62	55	48	42	36	30
24	100	92	84	77	69	62	56	49	43	37	31
25	100	92	84	77	70	63	57	50	44	39	33
26	100	92	85	78	71	64	58	51	46	40	34
27	100	92	85	78	71	65	58	52	47	41	36
28	100	93	85	78	72	65	59	53	48	42	37
29	100	93	86	79	72	66	60	54	49	43	38
30	100	93	86	79	73	67	61	55	50	44	39

● **습도를 측정하는 방법**

- 건습구 습도계 : 물의 증발을 이용한다.
- 디지털 습도계 : 습도를 감지하는 특수 반도체를 이용한다.
- 모발 습도계 : 습도에 따라 머리카락의 길이가 달라지는 성질을 이용한다.

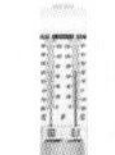
▲ 건습구 습도계

▲ 디지털 습도계

▲ 모발 습도계

용어 풀이

- **습도(젖을 濕, 정도 度)** 공기 중에 수증기가 들어 있는 정도
- **제습제(없앨 除, 젖을 濕, 약 劑)** 습기를 없애기 위해 사용하는 물질

정답

ⓐ 85 ⓑ 증발 ⓒ 커

2 이슬과 안개

1. 이슬과 안개 발생

탐구 이슬과 안개 발생 실험하기

탐구 과정

① 집기병에 차가운 물과 조각 얼음을 넣는다.
② 집기병 표면을 마른 수건으로 닦은 후 표면에서 나타나는 변화를 관찰한다.
③ 집기병에 따뜻한 물을 담았다가 버린다.
④ 집기병 안에 향불을 넣었다가 뺀다.
⑤ 조각 얼음이 담긴 페트리접시를 집기병에 올려놓고 집기병 안에서 나타나는 변화를 관찰한다.

실험 결과 및 결론

① 얼음물이 담겨 있는 높이까지만 작은 ⓐ＿＿＿＿이 고르게 맺힌다.
② 집기병 바깥에 있는 공기 중의 수증기가 응결해 집기병 표면에서 물방울로 맺힌다. ➡ ⓑ＿＿＿
③ 향 연기를 넣은 집기병 안이 조각 얼음을 담은 페트리접시 근처부터 뿌옇게 ⓒ＿＿＿진다.
④ 집기병 안에 있는 따뜻한 수증기가 조각 얼음으로 인해 차가워져 응결하여 아주 작은 물방울이 된다. ➡ ⓓ＿＿＿

물방울

2. 이슬과 안개

구분	이슬	안개
공통점	공기 중의 수증기가 ⓔ＿＿＿하여 나타나는 현상	
차이점	밤이 되어 차가워진 나뭇가지나 풀잎 표면에 수증기가 응결해 물방울로 맺힌 것	지표면 근처의 공기가 차가워져 공기 중의 수증기가 응결해 작은 물방울로 떠 있는 것

3. 우리 주위의 응결 현상

① 차가운 음료수를 담은 유리컵 표면이 뿌옇게 흐려진다.
② 냉장고에서 꺼낸 음료수병의 표면에 물방울이 생긴다.
③ 추운 겨울날 따뜻한 실내로 들어오면 안경이 뿌옇게 흐려진다.

개념 더하기

● **향 연기의 역할**
수증기가 응결해 물방울이 되려면 응결핵이 필요하다. 공기 중에 떠 있는 작은 물방울이 응결핵과 결합하면 쉽게 증발하지 못하고 물방울이 커지기 쉽다. 응결핵은 미세한 먼지, 연기 입자, 소금 입자 등으로 이루어진다.

● **안개와 이슬이 잘 생기는 조건**
- 밤과 낮의 온도 차가 심하고 바람이 불지 않는 맑은 날씨
- 강, 호수, 하천 지역 ➡ 강이나 하천의 공기는 수증기를 많이 포함하고 있어 밤이 되어 기온이 낮아지면 수증기가 응결하여 안개와 이슬이 잘 생긴다.

● **스모그**
공장, 자동차, 난방으로 생긴 연기가 안개와 섞여 공중에 가득 찬 것으로, 스모그가 발생하면 눈병과 호흡기 질환 등 각종 질병을 일으킨다.

용어 풀이

✓ **응결(엉길 凝, 맺을 結)**
수증기가 물방울로 뭉쳐짐

정답
ⓐ 물방울 ⓑ 이슬 ⓒ 흐려 ⓓ 안개 ⓔ 응결

03 날씨 현상과 바람

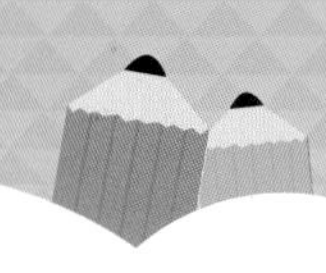

3 구름, 비, 눈

1. 구름 발생

★탐구 구름 발생 실험하기

탐구 과정

① 페트병에 액정 온도계를 넣고 공기 주입 마개로 닫는다.
② 공기 주입 마개를 눌러 페트병에 공기를 넣으면서 페트병 안의 온도 변화를 관찰한다.
③ 페트병 안의 온도가 더 이상 변하지 않으면 온도를 측정한다.
④ 공기 주입 마개의 뚜껑을 열고 페트병 안의 온도를 측정하고 변화를 관찰한다.

공기 주입 마개

실험 결과 및 결론

① 페트병 안에 공기를 넣으면 페트병 안의 온도가 ⓐ______진다.
② 공기 주입 마개의 뚜껑을 열면 온도가 ⓑ______지고, 페트병 안이 뿌옇게 ⓒ______진다.
③ 공기 주입 마개의 뚜껑을 열면 페트병 안의 공기가 밖으로 나가면서 부피가 커지고 온도가 낮아지면서 수증기가 응결해 물방울이 된다. ➡ ⓓ______

2. 구름, 비, 눈

구름	공기가 지표면으로부터 하늘 높이 올라가면 부피가 커지고 온도는 낮아진다. 이때 공기 중의 수증기가 응결하여 작은 물방울이나 얼음 알갱이 상태로 변해 하늘에 떠 있는 것
비	하늘에 떠 있던 구름 속의 작은 물방울이 합쳐지면서 무거워 떨어지거나, 크기가 커진 얼음 알갱이가 무거워져 떨어지면서 녹은 것
눈	얼음 알갱이의 크기가 커지면서 무거워져 떨어질 때 녹지 않은 채로 떨어진 것

3. 이슬, 안개, 구름

구분	이슬	안개	구름
공통점	공기 중의 수증기가 ⓔ______하여 나타나는 현상		
차이점	• 차가워진 나뭇가지나 풀잎 표면에 수증기가 응결해 물방울로 맺힌 것 • 물체 표면에 맺힌다.	• 지표면 근처의 공기가 차가워져 수증기가 응결해 작은 물방울로 떠 있는 것 • 지표면 근처에 떠 있다.	• 공기의 상승으로 공기가 차가워져 수증기가 응결하거나 얼음 알갱이로 변한 것 • 높은 하늘에 떠 있다.

개념 더하기

● **구름의 상태**
구름은 기체 상태인 수증기가 아니라 수증기가 응결한 물방울이나 얼음 알갱이이다. 구름을 구성하는 물방울이나 얼음 알갱이는 크기가 하늘에 떠 있을 만큼 충분이 작고 가볍다.

● **구름 입자와 빗방울의 크기**
구름 입자(0.02 mm)
안개 입자(0.2 mm)
이슬비 방울(0.5 mm)
보통 빗방울(2 mm)

용어 풀이

액정(액체 液, 결정 晶)
고체와 액체의 중간 상태에 있는 물질

정답
ⓐ 높아 ⓑ 낮아 ⓒ 흐려 ⓓ 구름 ⓔ 응결

4 고기압과 저기압

1. 온도에 따른 공기의 무게

★탐구 온도에 따른 공기의 무게 측정하기

탐구 과정

① 플라스틱 통을 세우고 머리 말리개로 차가운 공기를 약 20초 동안 넣은 후 뚜껑을 닫고 무게를 측정한다.

② 플라스틱 통을 뒤집고 머리 말리개로 따뜻한 공기를 약 20초 동안 넣은 후 통을 뒤집은 채로 뚜껑을 닫은 후 무게를 측정한다.

탐구 결과 및 결론

① 차가운 공기가 든 플라스틱 병의 무게는 278.0 g이다.

② 따뜻한 공기가 든 플라스틱 병의 무게는 277.3 g이다.

③ 공기는 ⓐ______를 가지고 있고, 차가운 공기는 따뜻한 공기보다 일정한 부피에 들어 있는 공기 알갱이의 양이 더 많아서 ⓑ______다.

2. 기압과 바람

① 기압

- ⓒ______ : 공기의 무게로 생기는 누르는 힘
- 일정한 부피에서 공기를 이루고 있는 알갱이가 많을수록 공기는 무거워지고 기압은 ⓓ______ 진다.

② 고기압과 저기압 : 상대적으로 공기가 무거우면 ⓔ____기압, 가벼우면 ⓕ____기압

③ 바람

- ⓖ______ : 두 지점에 기압 차가 생길 때 공기가 수평으로 이동하는 것
- 방향 : ⓗ____기압 → ⓘ____기압

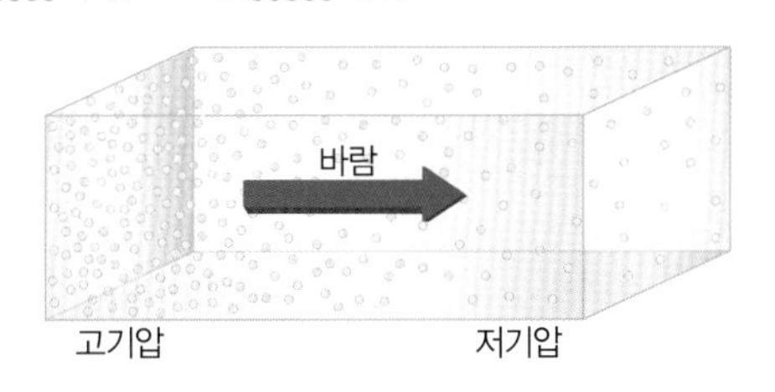

개념 더하기

● 기압과 관련된 생활 경험
- 고층 아파트 승강기를 탈 때 귀가 먹먹해진다.
- 차를 타고 높은 고개를 넘을 때 귀가 먹먹해진다.
- 비행기가 이륙할 때 귀가 먹먹해진다.
- 높은 곳을 올라가면 기압이 낮아져 귓속의 고막이 압력을 받으므로 먹먹해진다.

● 바람의 세기

어느 한 곳의 기압이 다른 곳보다 높을 경우 기압이 높은 곳에서 낮은 곳으로 힘이 작용하여 공기가 이동한다. 기압 차로 인해 공기가 수평 방향으로 이동하는 것을 바람이라고 하고, 두 곳의 기압 차가 클수록 바람이 강하게 분다.

용어 풀이

- **기압(기체 氣, 누를 壓)** 공기가 누르는 힘
- **고기압(높을 高, 기체 氣, 누를 壓)** 기압이 높음
- **저기압(낮을 低, 기체 氣, 누를 壓)** 기압이 낮음

정답

ⓐ 무게 ⓑ 무겁 ⓒ 기압 ⓓ 높아 ⓔ 고 ⓕ 저 ⓖ 바람 ⓗ 고 ⓘ 저

[01~02] 건구 온도계와 습구 온도계를 다음과 같이 설치하였습니다.

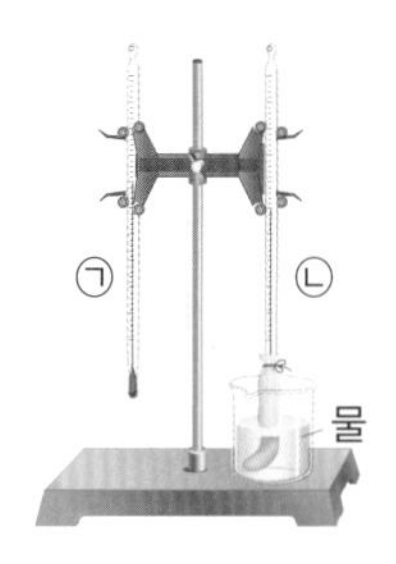

01 이 실험에 대한 설명으로 옳은 것은 어느 것입니까? (　　)

① ㉡의 온도는 항상 ㉠의 온도보다 높다.
② ㉠과 ㉡의 온도가 같을 경우 습도는 0 %이다.
③ ㉡은 습구 온도계로 물에 적신 헝겊에서 물이 증발하는 현상을 이용한다.
④ ㉡의 온도만으로도 습도를 알 수 있다.
⑤ ㉠의 온도만으로도 습도를 알 수 있다.

02 5분 후에 ㉠은 25 ℃, ㉡은 20 ℃로 측정되었습니다. 습도는 얼마입니까? (　　)

(단위 : %)

건구 온도(℃)	건구 온도와 습구 온도의 온도 차(℃)						
	0	1	2	3	4	5	6
20	100	91	83	74	66	59	51
21	100	91	83	75	67	60	53
22	100	92	83	76	68	61	54
23	100	92	84	76	69	62	55
24	100	92	84	77	69	62	56
25	100	92	84	77	70	63	57

① 51 %　② 57 %　③ 63 %
④ 70 %　⑤ 84 %

신유형

03 다음과 같이 집기병 (가)에는 얼음물을 담아두고, 집기병 (나)에는 따뜻한 물을 담았다가 버린 후 향불을 넣었다 뺀 다음 조각 얼음을 담은 페트리접시를 올려놓았습니다. 이 실험에서 나타나는 현상으로 바르게 설명한 것을 모두 고르세요. (　,　)

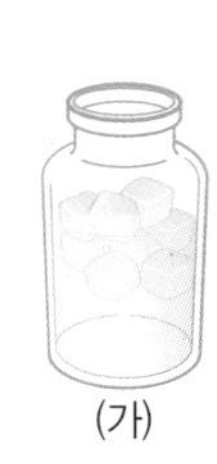

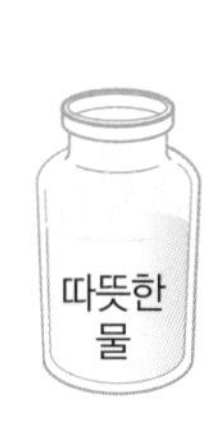

① 집기병 (가) 표면에 작은 물방울이 생긴다.
② 집기병 (가) 안의 물이 밖으로 이동하여 표면에 물방울이 생긴다.
③ 집기병 (나) 안이 뿌옇게 흐려진다.
④ 집기병 (나) 안에서 서리와 같은 현상이 나타난다.
⑤ 집기병 (나)에서는 공기 중 수증기가 따뜻한 집기병의 표면에 닿아 작은 물방울이 맺힌다.

04 이슬과 안개의 공통점으로 옳은 것을 모두 고른 것은 어느 것입니까? (　　)

보기
㉠ 물체와 공기의 온도 차가 작을 때 생긴다.
㉡ 모두 공기 중의 수증기가 응결하여 물방울로 변한 것이다.
㉢ 수증기가 응결하여 지표면 근처에 떠 있는 것이다.
㉣ 바람이 세게 불지 않은 맑은 날 잘 생긴다.

① ㉠, ㉡　② ㉠, ㉢　③ ㉠, ㉣
④ ㉡, ㉢　⑤ ㉡, ㉣

[05~06] 공기 주입 마개를 눌러 페트병 안에 공기를 계속 넣으면서 온도가 더 이상 변하지 않을 때 공기 주입 마개의 뚜껑을 열었습니다.

05 이 실험의 결과로 옳지 않은 것은 어느 것입니까? ( )

① 페트병 안에 공기를 넣으면 온도가 낮아진다.
② 뚜껑을 열면 페트병 안의 공기 부피가 커진다.
③ 뚜껑을 열면 병 안의 온도가 낮아진다.
④ 뚜껑을 열면 병 안이 뿌옇게 된다.
⑤ 페트병 안이 뿌옇게 흐려지는 이유는 수증기가 응결되어 물방울로 변했기 때문이다.

06 이 실험 결과와 관련된 날씨 현상은 어느 것입니까? ( )

① 이슬 ② 안개 ③ 구름
④ 비 ⑤ 눈

07 다음 중 우리 주위의 응결 현상에 대한 설명으로 옳지 않은 것은 어느 것입니까? ( )

① 겨울에 숨을 내쉴 때마다 입김이 뿌옇게 나온다.
② 냉장고에서 꺼낸 음료수병의 표면에 물방울이 생긴다.
③ 차가운 음료수를 담은 유리컵 표면이 뿌옇게 흐려진다.
④ 추운 겨울날 따뜻한 실내로 들어오면 안경이 뿌옇게 흐려진다.
⑤ 차 앞 유리창이 뿌옇게 변했을 때 에어컨을 켜면 다시 선명하게 된다.

08 다음과 같이 플라스틱 통에 머리 말리개로 차가운 공기와 따뜻한 공기를 넣은 후 무게를 비교하여 보았습니다. 이 실험에 대한 내용으로 옳지 않은 것은 어느 것입니까? ( )

① 따뜻한 공기가 든 플라스틱 병이 차가운 공기가 든 플라스틱 병의 무게보다 가볍다.
② 공기가 무게를 가지고 있기 때문에 나타나는 현상이다.
③ 따뜻한 공기보다 차가운 공기는 일정한 부피에 들어 있는 공기 알갱이 수가 더 많다.
④ 찬 공기는 고기압, 따뜻한 공기는 저기압을 나타낸다.
⑤ 상대적으로 공기가 무거우면 저기압이다.

신유형

09 다음은 우리나라에서 부는 바람의 방향을 조사한 것입니다. 이에 대한 내용으로 옳은 것은 어느 것입니까? ( )

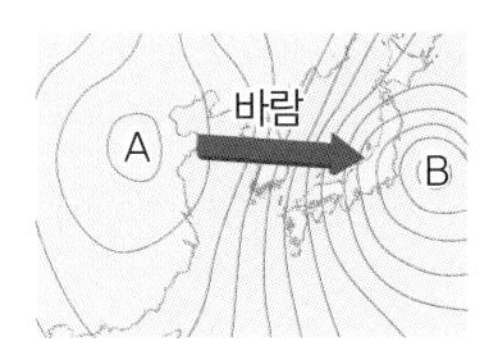

① 이 바람의 이름은 북풍이다.
② A 지역은 고기압이고, B지역은 저기압이다.
③ A지역의 공기는 B 지역의 공기보다 온도가 높다.
④ 일정한 부피일 때 공기를 이루고 있는 알갱이는 A 지역보다 B 지역이 더 많다.
⑤ 일정한 부피일 때 A 지역의 공기가 B 지역의 공기보다 더 가볍다.

서술형으로 다지기

손에 잡히는 문제 해결

이슬은 무엇인가요?

▼

이슬은 어떻게 생기나요?

▼

수증기가 응결되는 양이 많아지려면 날씨가 어떠해야 하나요?

01 이른 새벽 공원을 뛰다 보면 주변 풀에 맺힌 이슬 때문에 바지 아랫부분이 젖는 것을 볼 수 있습니다. 공기 중의 수증기가 풀잎의 표면에서 물방울로 변한 이슬은 어떤 날씨에 잘 생기는지 적어보세요.

손에 잡히는 문제 해결

비는 어디에서 만들어지나요?

▼

비는 어떻게 만들어지나요?

▼

비가 내릴 때 공기 중의 오염 물질은 어떻게 되나요?

02 중국에서는 2008년 베이징 올림픽이 열리는 기간 동안 맑은 날씨를 만들기 위해 기우제를 지내고, 구름에 대포나 로켓을 발사하여 일주일간 인공 비를 내리게 하였습니다. 그 결과 황사나 공해 등 대기 오염 물질이 많이 제거되어 맑은 날씨가 유지되었습니다. 인공 비를 통해 공기 오염을 해결할 수 있는 이유를 적어보세요.

03

다음은 습도를 잴 때 사용하는 건구 온도계, 습구 온도계, 습도표입니다. 습도표를 바탕으로 건구 온도와 습구 온도의 온도 차와 습도의 관계를 적어보세요.

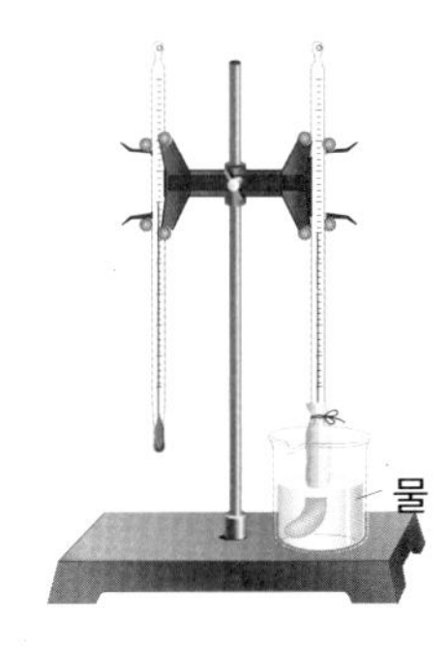

건구 온도 (℃)	건구 온도와 습구 온도의 온도 차(℃)								
	0	1	2	3	4	5	6	7	8
19	100	91	82	74	65	58	50	43	36
20	100	91	83	74	66	59	51	44	37
21	100	91	83	75	67	60	53	46	39
22	100	92	83	76	68	61	54	47	40
23	100	92	84	76	69	62	55	48	41

손에 잡히는 문제 해결

습구 온도가 건구 온도보다 낮은 이유는 무엇인가요?

▼

건구 온도와 습구 온도의 온도 차가 클 때, 습도는 어떠한가요?

▼

건구 온도와 습구 온도의 온도 차가 작을 때, 습도는 어떠한가요?

04

다음은 여러 지역에서 공기의 무게를 측정하여 비교한 것입니다. (가) 위치에서 바람의 방향을 화살표로 나타내고 이유를 적어보세요.

A　　　B

(가)

C　　　D

일정한 부피일 때 공기 무게 : A<B, B=C, C<D

바람은 무엇인가요?

▼

바람이 부는 방향과 기압은 어떤 관련이 있나요?

▼

일정한 부피일 때 공기 무게와 기압은 어떤 관련이 있나요?

융합사고력 키우기

STEAM
- ✓ Science
  - ▶ 날씨 현상
- ✓ Technology
  - ▶ 인공강우
- Engineering
- Art
- Mathematics

레인메이커, 비를 내리게 하다

댐이나 저수지로 물을 저장할 수 없었던 옛날에 비는 생사를 가르는 중요한 요소였다. 이 때문에 동서양을 막론하고 기우제를 하는 주술사가 있었다. 아메리카 인디언 주술사를 '레인메이커'(rainmaker)라고 부르는데, 오늘날 인공강우 전문가를 부르는 말이기도 하다.

구름은 지름 20 μm의 아주 작은 물방울인 구름 입자로 이루어져 있다. 구름 입자는 아래로 잡아당기는 중력보다 위로 뜨게 하는 부력이 더 크기 때문에 하늘에 떠 있을 수 있다. 구름 입자가 땅으로 떨어지려면 중력이 부력보다 커야 한다. 보통 구름 입자 100만 개 이상이 합쳐져 2 mm의 빗방울이나 1~10 cm의 눈송이가 되면 중력이 부력보다 커져 땅으로 떨어진다. 이때 구름 입자가 서로 뭉치는 데 도움을 주는 물질이 구름 속에 들어 있으면 비가 쉽게 내린다. 먼지, 연기, 배기가스 등 약 0.1 mm 크기의 작은 입자들이 구름 입자가 뭉치는 데 도움을 주는데 이들 입자를 응결핵이라고 한다.

인공강우의 핵심 원리는 구름에 응결핵을 뿌려 비가 쉽게 내리도록 돕는 것이다. 사용하는 응결핵은 구름의 종류와 대기 상태에 따라 다르다. 1,000 m 이상의 높은 구름은 꼭대기 부분의 구름 입자가 얼음 상태로 존재하기 때문에 아이오딘화 은(AgI)과 드라이아이스를 많이 사용한다. 아이오딘화 은을 태우면 작은 입자가 생기는데 이 입자가 −4~6 ℃의 구름에서 주변의 얼음을 끌어모은다. 드라이아이스 조각은 −10 ℃의 구름에서 주변의 구름 입자를 얼려서 자신에게 붙이는 방식으로 덩치를 키운다.

1 구름 입자가 서로 뭉치는 데 도움을 주는 작은 입자를 무엇이라고 하나요?

용어 풀이

- **생사(날 生, 죽을 死)** 삶과 죽음
- **기우제(빌 祈, 비 雨, 제사 祭)** 비가 오기를 기원하며 지내는 제사
- **주술사(빌 呪, 재주 術, 스승 師)** 불행이나 재해를 막으려고 주문을 외우는 사람
- **인공강우(사람 人, 일 工, 내릴 降, 비 雨)** 사람의 힘으로 구름에서 비가 내리게 하는 일
- **μm(마이크로미터)** 1 μm=백만분의 1 m
- **부력(뜰 浮, 힘 力)** 기체나 액체 속에 있는 물체가 위로 뜨려는 힘

2 2008년 중국은 베이징 올림픽을 앞두고 인공강우를 실시하여 대기 중의 오염 물질을 제거하였습니다. 이처럼 인공강우를 효과적으로 활용할 수 있는 방법을 두 가지 적어보세요.

•

•

인공 강우 활용

인공강우의 원리는 무엇인가요?

▼

비를 내리게 하여 얻을 수 있는 효과는 무엇인가요?

▼

인공강우를 효과적으로 사용할 수 있는 방법은 무엇인가요?

논술형

3 인공강우가 비를 내리게 하는 효과적인 방법이기는 하지만 비판적인 의견도 있습니다. 자연 현상을 임의로 조절하는 것이 과연 적절한 것일까요? 인공강우를 실시할 경우 예상되는 부작용을 적어보세요.

•

•

손에 잡히는 STEAM

인공강우를 실시하기 위한 조건은 무엇인가요?

▼

인공강우를 실시하면 어떤 변화가 생기나요?

▼

인공강우의 부작용은 무엇이 있나요?

바람의 방향이 바뀌는

04 해륙풍과 계절별 날씨

1 하루 동안 지면과 수면의 온도 변화

1. 모래와 물의 온도 변화

★탐구 모래와 물의 온도 변화 측정하기

탐구 과정

① 투명한 사각 플라스틱 그릇 두 개에 모래와 물을 각각 담고 나란히 붙여 놓는다.
② 두 그릇 위에 일정한 거리를 두고 전등을 각각 설치한다.
③ 모래와 물에 알코올 온도계의 액체샘이 1 cm 깊이로 꽂히도록 각각 설치한다.
④ 전등을 켜고 2분 간격으로 10분 동안 모래와 물의 온도 변화를 측정한다.
⑤ 전등을 끄고 2분 간격으로 10분 동안 모래와 물의 온도 변화를 측정한다.

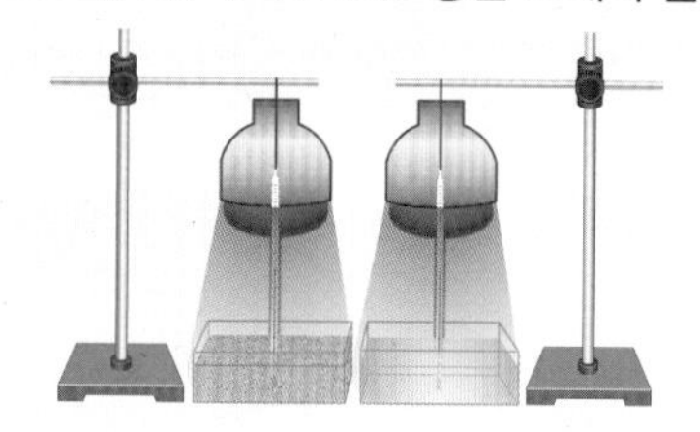

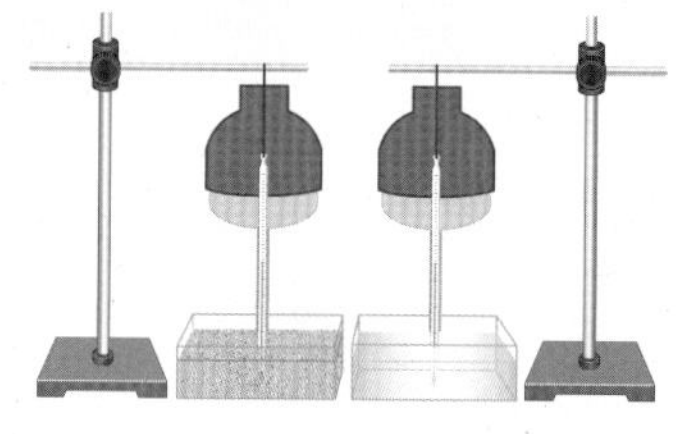

실험 결과 및 결론

① 전등을 켰을 때 ⓐ______는 빨리 데워지고, ⓑ____은 천천히 데워진다.
② 전등을 껐을 때 ⓒ______는 빨리 식고, ⓓ____은 천천히 식는다.
③ 모래는 물보다 온도 변화가 ⓔ____다.

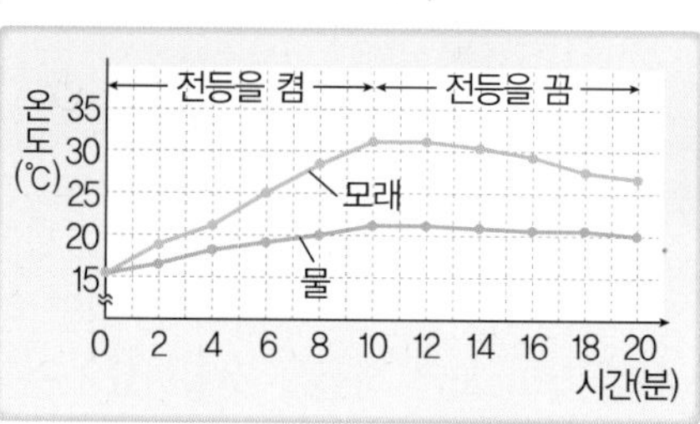

● **모래와 물의 온도 변화 실험과 실제 비교**
- 모래 : 육지
- 물 : 바다
- 전등의 열전구 : 태양

● **모래가 물의 온도 변화보다 큰 이유**
- 물질의 종류에 따라 데워지고 식는 정도가 다르기 때문이다.
- 물은 투명해서 깊게 데워지고, 모래는 불투명해서 얕게 데워지기 때문이다.
- 빛을 받은 위쪽의 물이 아래쪽의 차가운 물과 섞이기 때문이다.

2. 하루 동안 지면과 수면의 온도 변화

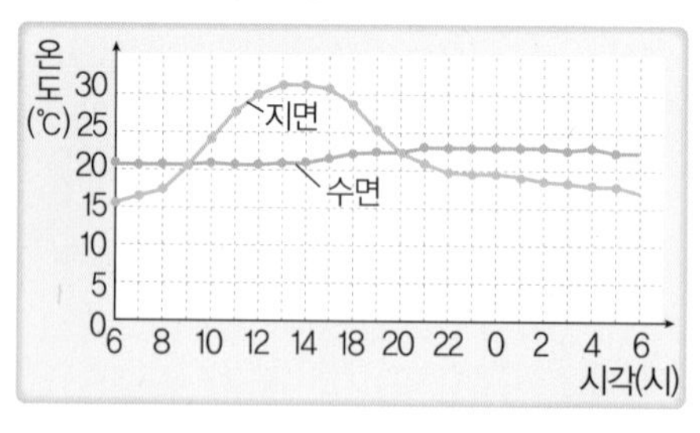

① 낮 : 지면이 수면보다 빠르게 데워지므로 지면의 온도가 수면의 온도보다 ⓕ____다.
② 밤 : 지면이 수면보다 빠르게 식으므로 지면의 온도가 수면의 온도보다 ⓖ____다.
③ 9시~20시 : 지면 위 공기 온도>수면 위 공기 온도
④ 20시~9시 : 지면 위 공기 온도<수면 위 공기 온도

용어 풀이

- **지면(땅 地, 면 面)** 땅바닥
- **수면(물 水, 면 面)** 물의 겉면

정답

ⓐ 모래 ⓑ 물 ⓒ 모래
ⓓ 물 ⓔ 크 ⓕ 높 ⓖ 낮

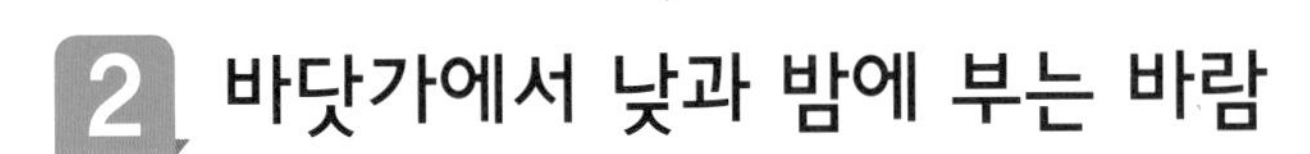

2 바닷가에서 낮과 밤에 부는 바람

1. 바람이 부는 방향

★탐구 바람이 부는 방향 관찰하기

탐구 과정

① 투명한 사각 플라스틱 그릇 두 개에 모래와 물을 각각 담고 나란히 붙인 후 전등을 설치한다.
② 모래와 물에 알코올 온도계의 액체샘이 1 cm 깊이로 꽂히도록 각각 설치한다.
③ 전등을 켜서 모래와 물을 5분 정도 가열한 후 온도를 측정한다.
④ 가열한 모래와 물이 담긴 그릇을 투명한 상자로 덮고, 상자의 위쪽 중앙까지 향을 넣는다.
⑤ 30초 뒤에 향을 빼고 향 연기의 움직임을 관찰한다.

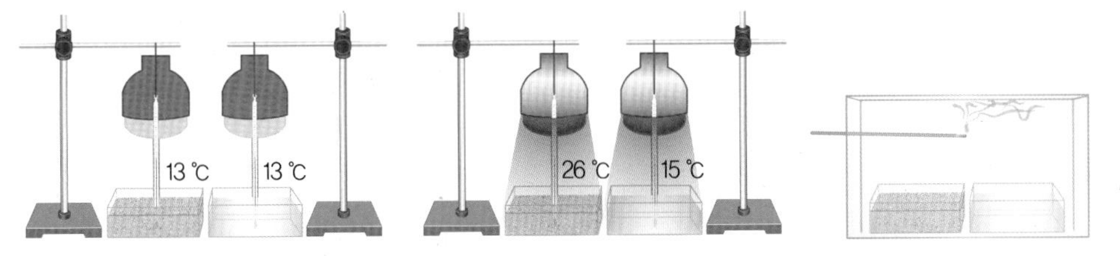

실험 결과 및 결론

① 전등을 켜서 가열하면 모래의 온도가 물보다 ⓐ____다.
② 향 연기가 투명 상자 속에서 움직인다.
③ 물 위의 공기는 온도가 낮아 ⓑ____기압이 되고, 모래 위 공기는 온도가 높아 ⓒ____기압이 되어, 아래쪽의 공기가 물 쪽에서 모래 쪽으로 움직인다.
④ 향 연기가 수평 방향으로 이동하는 것이 ⓓ____이다.

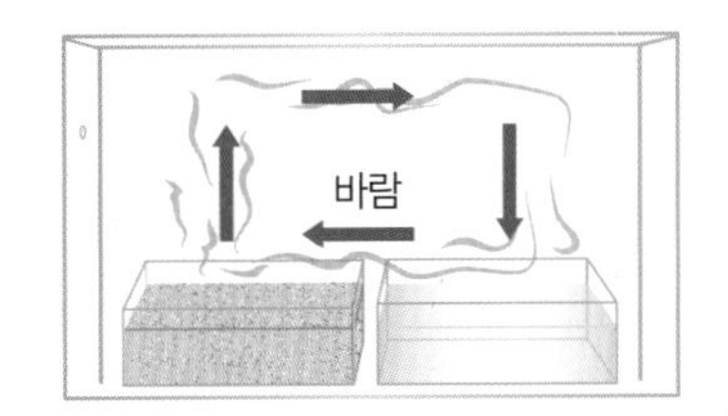

2. 바닷가에서 낮과 밤에 부는 바람

낮	밤
• 육지 위 : 온도가 높으므로 ⓔ____기압 • 바다 위 : 온도가 낮으므로 ⓕ____기압 • 바람 : 바다 → 육지 ➡ ⓖ____ 해풍 고기압 저기압	• 육지 위 : 온도가 낮으므로 ⓗ____기압 • 바다 위 : 온도가 높으므로 ⓘ____기압 • 바람 : 육지 → 바다 ➡ ⓙ____ 육풍 저기압 고기압

바람의 방향이 바뀌는 이유 : 낮과 밤에 육지와 바다가 데워지고 식는 정도가 다르기 때문이다.

개념 더하기

● 낮과 밤에 바람의 방향이 바뀌는 산간 지방

• 산곡풍 : 해륙풍과 비슷하게 산간 지방에서 하루를 주기로 방향이 바뀌는 바람
• 낮 : 태양을 향하는 산 경사면이 주변보다 온도가 높아 저기압이 되므로 산비탈을 타고 상승하는 곡풍이 분다.
• 밤 : 산비탈이 빠르게 냉각되어 주변보다 온도가 낮아져 고기압이 되므로 냉각된 공기가 산비탈을 타고 골짜기로 내려가는 산풍이 분다.

용어 풀이

해풍(바다 海, 바람 風)
바다에서 불어오는 바람

육풍(육지 陸, 바람 風)
육지에서 불어오는 바람

정답

ⓐ 높 ⓑ 고 ⓒ 저
ⓓ 바람 ⓔ 저 ⓕ 고
ⓖ 해풍 ⓗ 고 ⓘ 저
ⓙ 육풍

04 해륙풍과 계절별 날씨

3 우리나라의 계절별 날씨

1. 공기 덩어리의 특성

① 공기 덩어리가 넓은 지역에 오랫동안 머물러 있으면 그 지역의 온도나 습도와 비슷한 성질을 갖는다.

② 우리나라 주변 지역과 공기 덩어리의 특성

- 바다에서 오랫동안 머물러 있을 때 : ⓐ______ 해진다.
- 대륙에서 오랫동안 머물러 있을 때 : ⓑ______ 해진다.
- 북쪽에서 오랫동안 머물러 있을 때 : ⓒ______ 진다.
- 남쪽에서 오랫동안 머물러 있을 때 : ⓓ______ 진다.

③ 한 지역에 새로운 공기 덩어리가 이동해 오면 그 지역의 온도와 습도가 이동해 온 공기 덩어리의 성질과 비슷해진다.

2. 우리나라 계절별 날씨에 영향을 미치는 공기 덩어리 성질

봄, 가을	여름	겨울
남쪽 대륙에서 따뜻하고 건조한 공기 덩어리가 이동해 온다. → ⓔ______ 하고 ⓕ______ 함	남쪽 바다에서 따뜻하고 습한 공기 덩어리가 이동해 온다. → ⓖ______ 하고 ⓗ______ 함	북쪽 대륙에서 차고 건조한 공기 덩어리가 이동해 온다. → ⓘ______ 고 ⓙ______ 함
따뜻하고 건조함	따뜻하고 습함	차갑고 건조함

계절에 따라 날씨가 다른 이유 : 계절마다 성질이 다른 공기 덩어리가 영향을 주기 때문이다.

★더 알아보기 우리나라에 영향을 주는 공기 덩어리 이름

① 양쯔강 기단 : 봄, 가을
② 북태평양 기단 : 여름
③ 시베리아 기단 : 겨울
④ 오호츠크해 기단 : 초여름
⑤ 적도 기단 : 여름에 태풍 발생

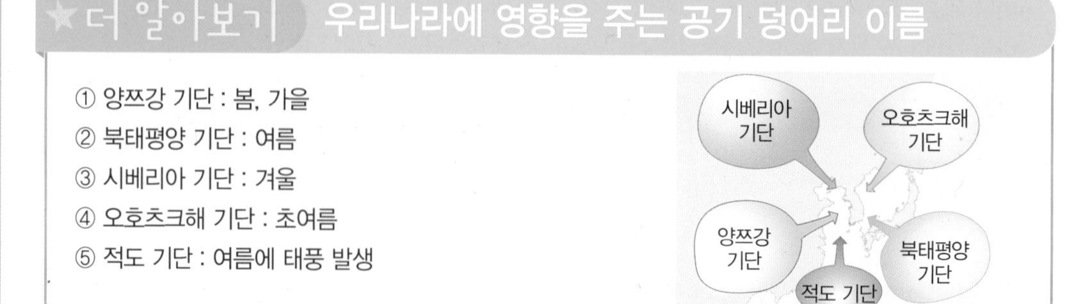

개념 더하기

● 계절풍

- 계절풍 : 육지와 바다의 경계에서 일 년을 주기로 방향이 바뀌는 바람
- 남동풍(여름) : 육지가 바다보다 빨리 데워져 저기압이 되므로 바다(남동쪽)에서 육지로 바람이 분다.
- 북서풍(겨울) : 육지가 바다보다 빨리 식어 고기압이 되므로 육지(북서쪽)에서 바다로 바람이 분다.

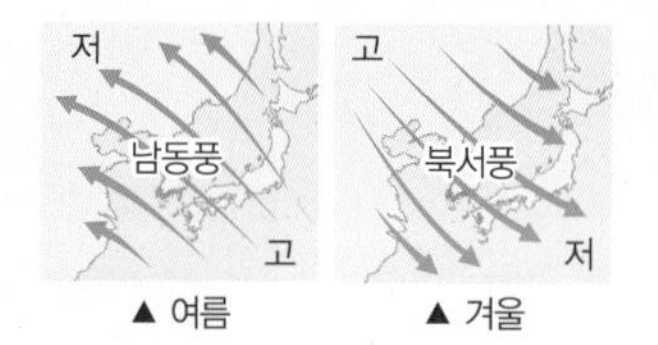

▲ 여름 ▲ 겨울

용어 풀이

기단(기체 氣, 모일 團) 같은 성질을 가진 공기 덩어리

정답

ⓐ 습 ⓑ 건조 ⓒ 차가워
ⓓ 따뜻해 ⓔ 따뜻 ⓕ 건조
ⓖ 따뜻 ⓗ 습 ⓘ 차갑
ⓙ 건조

4 날씨와 우리 생활

1. 날씨와 우리 생활

맑고 따뜻한 날	간편한 옷차림을 하고 ⓐ______ 활동을 주로 한다.
황사, 미세 먼지가 많은 날	야외 활동을 자제하고 외출할 때는 ⓑ______를 쓴다.
춥고 눈이 내리는 날	ⓒ______ 활동을 주로 하며, 감기에 걸리지 않도록 주의한다.
덥고 습한 날	야외 활동을 할 경우 열사병이나 탈진에 주의한다.

2. 날씨와 직업

농부	비가 많이 오면 도랑을 내어 빗물이 잘 빠질 수 있도록 한다.
어부	태풍이 불거나 파도가 높은 날에는 물고기를 잡으러 바다에 나갈 수 없다.
운전자	비나 눈이 내리면 천천히 달리고, 앞차와의 안전 거리를 확보해 안전 운전을 한다.

3. 날씨 지수

불쾌지수	기온과 습도에 따라 사람이 느끼는 불쾌감을 지수로 나타낸 것
자외선 지수	태양 고도가 최대인 남중 시간 때 지표에 도달하는 자외선량을 지수로 나타낸 것
감기 지수	기상 조건(최저 온도, 일교차, 현지 기압, 상대 습도)에 따른 감기 발생 가능 정도를 지수로 나타낸 것
식중독 지수	각 온도에서 식중독을 일으킬 수 있는 시간에 대한 비율을 지수로 나타낸 것
열지수	기온과 습도에 따라 사람이 느끼는 더위를 지수로 나타낸 것

4. 날씨 용품 설계하기

▲ 물건을 걸 수 있는 우산

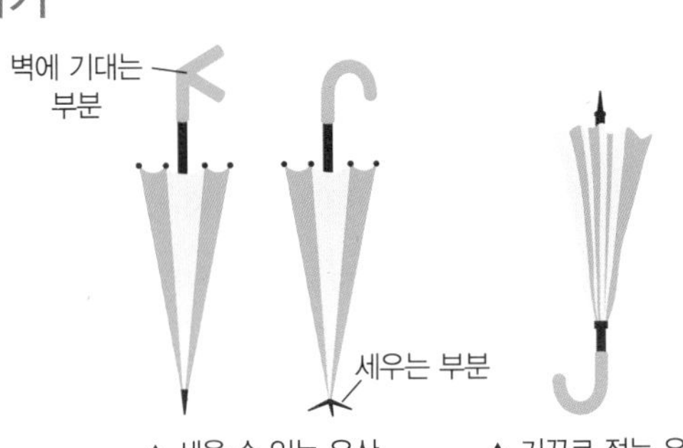

▲ 세울 수 있는 우산

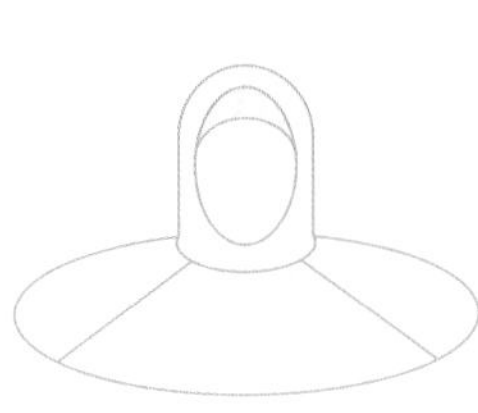

▲ 거꾸로 접는 우산

▲ 비행접시 비옷

개념 더하기

● 날씨 지수

- 불쾌지수 : 68~75는 보통 단계이고, 80 이상에서는 대부분의 사람이 불쾌감을 느낀다.
- 자외선 지수 : 1~2는 낮음 단계이고, 11 이상에서는 태양에 장시간 노출 시 위험하며 보호가 필요하다.
- 감기 지수 : 매우 높음, 높음, 보통, 낮음 4단계로 나눈다.
- 식중독 지수 : 35 미만은 관심 단계이고, 95 이상이면 음식물이 부패하기 쉽다.
- 열지수 : 32 미만은 낮음 단계이고, 54 이상에서는 뜨거운 햇빛에 노출되면 체온이 올라가므로 주의해야 한다.

용어 풀이

- **자외선(자줏빛 紫, 바깥 外, 줄 線)** 눈으로 볼 수 없는 빛으로, 피부노화와 피부암을 일으키고 살균 작용을 한다.
- **식중독(밥 食, 가운데 中, 독 毒)** 음식물에 포함된 독성 물질을 먹었을 때 생기는 병

정답

ⓐ 야외 ⓑ 마스크 ⓒ 실내

개념기르기

[01~02] 하루 동안 지면과 수면의 온도 변화를 알아보기 위해 다음과 같이 모래와 물에 전등을 켜고 2분 간격으로 10분 동안, 전등을 끄고 2분 간격으로 10분 동안 온도 변화를 측정하였다.

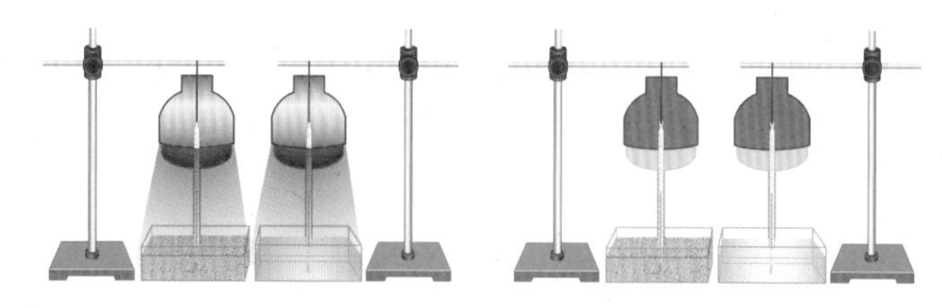

01 이 실험에서 다르게 해야 할 조건으로 옳은 것은 어느 것입니다? ( )

① 두 물질의 양
② 두 물질의 종류
③ 가열하는 위치
④ 두 물질의 처음 온도
⑤ 가열하는 전등의 종류

중요

02 다음 그래프는 위 실험의 결과입니다. 이에 대한 설명으로 옳지 않은 것은 어느 것입니까? ( )

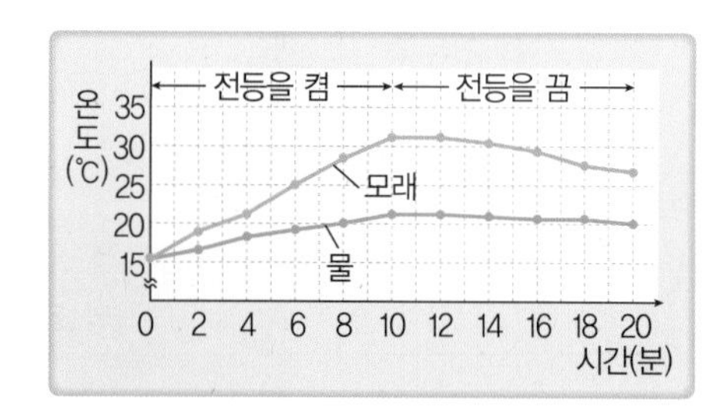

① 전등을 켜면 모래는 빨리 데워지고, 물은 천천히 데워진다.
② 전등을 끄면 모래는 빨리 식고, 물은 천천히 식는다.
③ 물은 모래보다 온도 변화가 작다.
④ 전등의 열전구는 태양, 모래는 육지, 물은 바다를 의미한다.
⑤ 낮과 밤 모두 지면의 온도가 수면의 온도보다 더 높다.

[03~05] 다음과 같이 전등을 켜서 모래와 물을 데운 후 투명 상자 안에 넣고 모래와 물 사이에 향 연기를 넣었습니다.

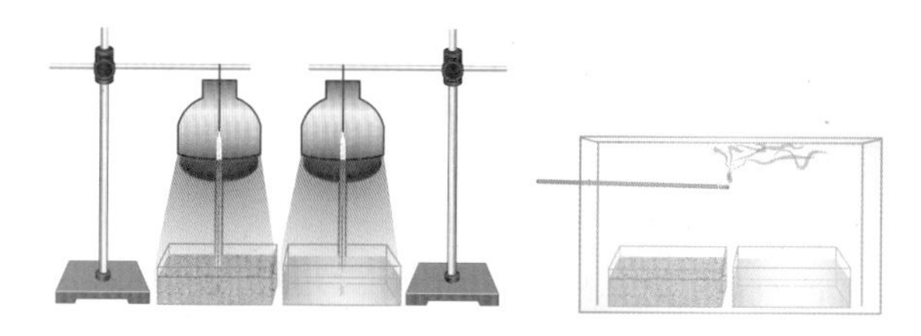

03 향 연기를 넣은 이유로 옳은 것은 어느 것입니까? ( )

① 모래의 온도를 높이기 위해서이다.
② 물의 온도를 높이기 위해서이다.
③ 공기의 움직임을 확인하기 위해서이다.
④ 투명 상자 속 공기의 온도를 낮게 하기 위해서이다.
⑤ 투명 상자 안과 밖에 온도 차를 주기 위해서이다.

04 이 실험의 결과로 옳지 않은 것은 어느 것입니까? ( )

① 전등을 켜면 모래의 온도가 물보다 높다.
② 물 위의 공기는 온도가 낮아 고기압이 된다.
③ 모래 위의 공기는 온도가 높아 저기압이 된다.
④ 아래쪽의 공기가 모래 쪽에서 물 쪽으로 움직인다.
⑤ 향 연기가 위아래 수평 방향으로 이동하는 것이 바람이다.

신유형

05 이 실험의 결과를 바탕으로 바닷가에서 낮에 부는 바람의 방향으로 옳은 것은 어느 것입니까? ( )

① 바다 → 육지
② 육지 → 바다
③ 바다 → 바다
④ 육지 → 육지
⑤ 바람이 불지 않는다.

06 밤에 바닷가에서 부는 바람에 대한 설명으로 옳은 것은 어느 것입니까? ( )

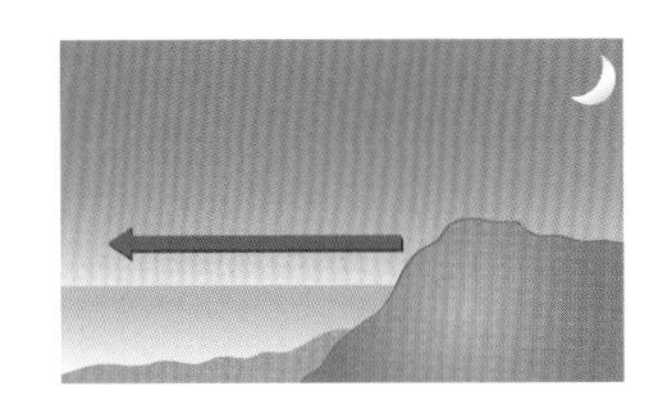

① 바다는 고기압, 육지는 저기압이다.
② 이 바람은 해풍이다.
③ 바다의 따뜻한 공기가 육지 쪽으로 이동한다.
④ 낮과 밤, 둘 다 부는 바람의 방향이 같다.
⑤ 바다 위의 공기가 육지 위의 공기보다 따뜻하다.

07 다음 중 공기 덩어리에 대한 설명으로 옳은 것을 모두 고르세요. (,)

① 찬 공기 덩어리는 육지에 머무르지 않는다.
② 공기 덩어리가 육지에 오랫동안 머물러 있으면 따뜻해진다.
③ 공기 덩어리가 바다에 오랫동안 머물러 있으면 습해진다.
④ 공기 덩어리가 남쪽에 오랫동안 머물러 있으면 따뜻해진다.
⑤ 공기 덩어리는 머물러 있던 곳의 온도나 습도와 관계없이 지나가는 곳마다 성질이 계속 변한다.

08 다음 중 날씨를 미리 알 수 있을 때 좋은 점이 아닌 것은 어느 것입니까? ( )

① 야외 행사를 준비할 수 있다.
② 운전자들이 안전 운전을 할 수 있다.
③ 날씨에 맞추어 환자들을 진료할 수 있다.
④ 날씨를 예상하여 옷차림을 생각할 수 있다.
⑤ 날씨에 맞추어 배의 운항을 조절할 수 있다.

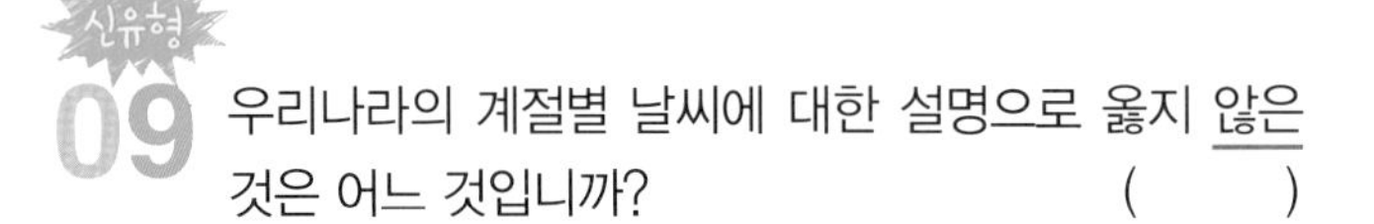

신유형

09 우리나라의 계절별 날씨에 대한 설명으로 옳지 않은 것은 어느 것입니까? ( )

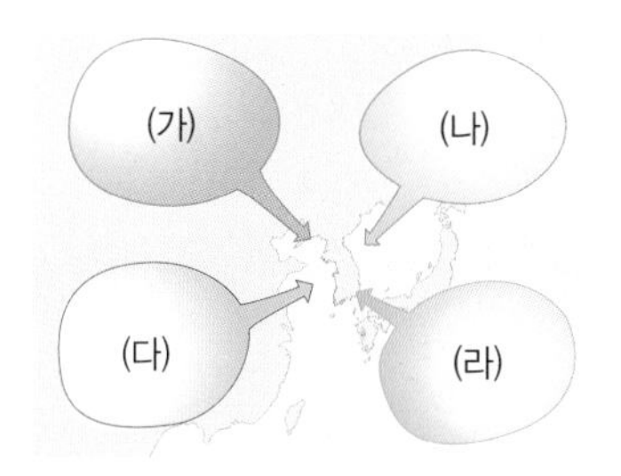

① 봄에는 (다)의 영향으로 따뜻하고 건조하다.
② 여름에는 (라)의 영향으로 덥고 습하다.
③ 가을에는 (나)의 영향으로 따뜻하고 습하다.
④ 겨울에는 (가)의 영향으로 춥고 건조하다.
⑤ 계절마다 성질이 다른 공기 덩어리의 영향을 받아 날씨가 다르다.

10 다음은 어느 날의 생활 지수를 나타낸 것입니다. 이에 대한 설명으로 옳은 것은 어느 것입니까? ( )

불조심	40	공해	60
외출	40	빨래	20
세차	20	운동	40

(0~29 : 낮음, 30~59 : 보통, 60~89 : 높음, 90 이상 : 매우 높음)

① 날씨가 맑지 않으므로 세차를 하면 안 된다.
② 날씨가 맑으므로 외출이 어렵다.
③ 날씨가 추우므로 불이 나도 큰 문제가 없다.
④ 빨래를 하기에 좋은 날이다.
⑤ 운동을 하기에 좋은 날씨이다.

서술형으로 다지기

손에 잡히는 문제 해결

밤에는 바다와 육지 중 어느 곳의 온도가 더 높나요?

▼

밤에는 바다와 육지 중 어느 곳의 기압이 더 높나요?

▼

바닷가에서 밤에는 바람이 부는 방향은 어떠한가요?

01 경상남도 통영에서는 매년 8월에 충무공 이순신이 한산도 앞바다에서 승리한 전투를 기념하기 위해 한산대첩축제가 열립니다. 한산대첩축제에서는 임진왜란 때 군사 신호와 연락용으로 사용된 풍등을 띄웁니다. 밤에 축제장에서 풍등을 띄웠을 때 풍등이 날아가는 방향을 그리고 이유를 적어보세요.

손에 잡히는 문제 해결

어부가 적은 힘으로 바다로 나가려면 바람의 방향이 어떠해야 하나요?

▼

어부가 적은 힘으로 육지로 돌아오려면 바람의 방향이 어떠해야 하나요?

▼

바닷가에서 낮과 밤에 부는 바람의 특징은 어떠한가요?

02 돛단배를 이용하여 물고기를 잡는 어부가 있습니다. 어부는 바람의 방향과 세기를 이용하여 적은 힘으로 바다로 나가 물고기를 잡은 후 어두워지기 전에 다시 육지로 돌아오고 싶습니다. 다음 그래프를 바탕으로 어부가 바다로 나가고 육지로 돌아오는 적절한 시각을 적어보세요.

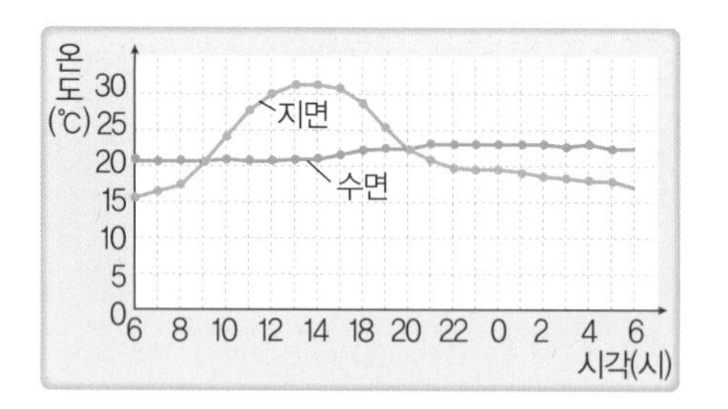

정답 및 해설
8쪽

03 봄꽃이 필 무렵 갑자기 매서운 추위가 찾아올 때가 있는데 이를 '꽃샘추위'라고 합니다. 꽃샘추위는 꽃이 필 무렵에 겨울 추위처럼 매섭고 차다는 뜻에서 유래되었습니다. 꽃샘추위가 오는 이유를 우리나라의 계절별 날씨에 영향을 주는 공기 덩어리의 성질을 바탕으로 적어보세요.

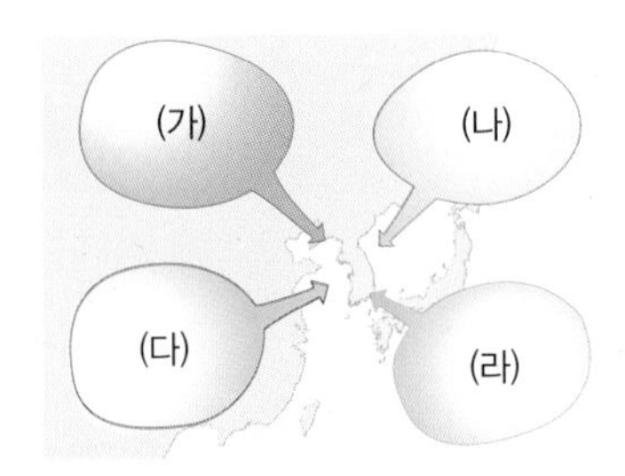

손에 잡히는 문제 해결

우리나라 겨울철 날씨에 영향을 주는 공기 덩어리는 무엇인가요?

▼

우리나라 봄철 날씨에 영향을 주는 공기 덩어리는 무엇인가요?

▼

봄에 기온이 갑자기 내려가며 추워지는 이유는 무엇인가요?

04 바닷가에서는 낮과 밤에 바람의 방향이 바뀌는 해륙풍이 불고, 육지와 바다의 경계에서는 일 년을 주기로 바람의 방향이 바뀌는 계절풍이 붑니다. 우리나라에서 여름과 겨울에 부는 바람의 방향을 그리고 이유를 적어보세요.

▲ 여름

▲ 겨울

손에 잡히는 문제 해결

여름에는 육지와 바다 중 어느 것이 더 빨리 데워지나요?

▼

겨울에는 육지와 바다 중 어느 것이 더 빨리 식나요?

▼

두 지역에 온도 차에 의한 기압 차가 생길 때 바람이 부는 방향은 어떠한가요?

융합사고력 키우기

STEAM

- ✓ Science
  - ▸ 계절별 날씨
- ✓ Technology
  - ▸ 지구 온난화
- Engineering
- Art
- Mathematics

반갑지 않은 손님 가을장마

장마는 여름철에 일정 기간 지속해서 많이 내리는 비를 가리키는 말이다. 우리나라는 장마철에 내리는 비가 일 년 강수량의 대부분을 차지하며, 그 시기가 벼의 성장기와 일치하기 때문에 벼농사에 큰 영향을 미친다. 장마는 대체로 6월 하순에 시작해 7월 하순에 끝나며, 남부 지방에서 북부 지방으로 올라갈수록 시기가 늦어진다. 여름장마와는 다르게, 7월 이후나 입추(8월 8일~9일경)를 전후로 9월까지 지속해서 내리는 비를 가을장마라고 한다. 옛말에 '가을장마가 오면 곡식이 썩는다'라는 말이 있다. 가을장마는 보기 힘든 기상 현상 중 하나이므로 예로부터 나라에 안 좋은 일이 있거나 불행을 가져오는 비라고 여겼다. 가을장마는 그만큼 반갑지 않은 손님이고 흔치 않은 현상이라고 할 수 있다.

1 여름장마는 우리나라에 영향을 주는 커다란 두 개의 공기 덩어리에 의해 나타납니다. 오른쪽 그림의 네 개의 공기 덩어리 중에서 장마를 일으키는 공기 덩어리 두 개를 고르고, 공기 덩어리의 특징을 적어보세요.

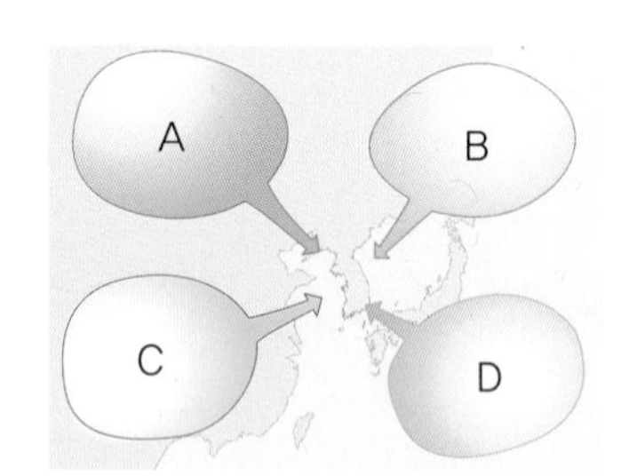

용어 풀이

- **강수량(내릴 降, 물 水, 양 量)**
  비, 눈, 우박, 안개 등 일정 기간 동안 일정한 곳에 내린 물의 총량
- **입추(설 立, 가을 秋)**
  24절기 중 하나로 가을의 시작을 뜻한다.

2 2000년대 이후 7월 말을 시작으로 9월까지 장마 못지않게 많은 비가 내리는 가을장마가 자주 나타나고 있습니다. 보기 힘든 기상 현상 중 하나인 가을장마가 최근에 자주 생기는 이유를 적어보세요.

손에 잡히는 STEAM

비는 어디에서 만들어지나요?

▼

비는 어떻게 만들어지나요?

▼

많은 비가 내릴 수 있는 조건은 무엇인가요?

논술형

3 2010년 가을장마는 광화문 광장이 물에 잠겨 큰 이슈가 되었습니다. 우리나라는 여름장마와 가을장마로 강수량은 풍부하지만 물 소비량이 많아 물 부족 문제가 나타납니다. 빗물은 가장 깨끗하고 경제적인 자원이므로 잘 활용하면 많은 돈을 절약할 수 있습니다. 장마로 인한 피해를 줄이면서 빗물을 활용할 수 있는 아이디어를 적어보세요.

손에 잡히는 STEAM

빗물을 활용하기 위해서 가장 먼저 해야 할 것은 무엇인가요?

▼

물이 지속해서 필요한 곳은 어디인가요?

▼

빗물을 모을 수 있는 장소로 적당한 곳은 어디인가요?

가을장마

탐구력 키우기

기압을 느껴보자

공기는 눈에 보이지 않지만 일정한 공간을 차지하고 무게를 가지고 있습니다. 실험을 통해 공기의 힘을 느껴보세요.

준비물

유리컵, 마분지 또는 두꺼운 종이, 페트병, 페트병 뚜껑, 뜨거운 물

탐구 과정

실험 1 ① 유리컵에 물을 가득 채운다.
② 컵 위에 마분지를 올리고 눌러 마분지와 유리컵 입구가 밀착되도록 한다.
③ 한 손으로 마분지를 잡고 컵을 천천히 뒤집는다.
④ 마분지에서 손을 뗀다.

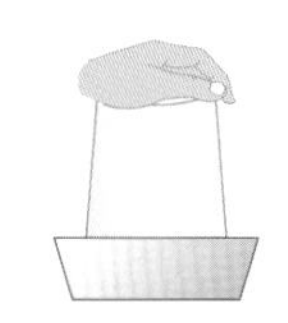

실험 2 ① 페트병에 뜨거운 물을 넣고 흔든다.
② 뜨거운 물을 버리고 뚜껑을 빨리 닫는다.
③ 실온에 가만히 두고 페트병을 관찰한다.

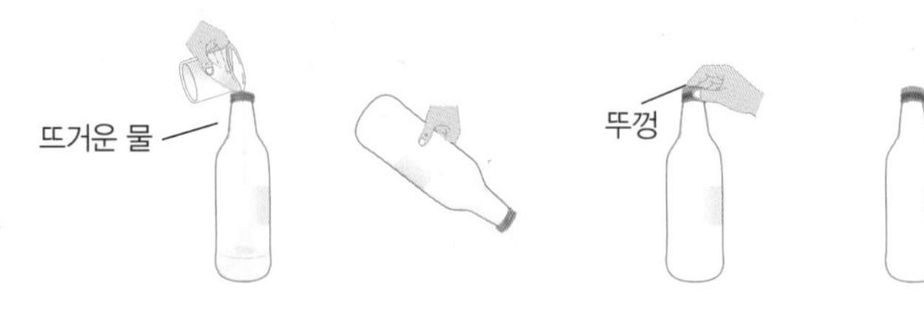

주의사항

- 마분지는 유리컵 입구보다 커야 한다.
- 마분지와 유리컵 입구 사이에 빈틈이 없도록 한다.
- 페트병 뚜껑을 꽉 닫아야 한다.
- 뜨거운 물에 녹지 않는 페트병을 사용해야 한다.

정답 및 해설
9쪽

1 실험 1 과 실험 2 의 결과를 적어보세요.

실험 1

실험 2

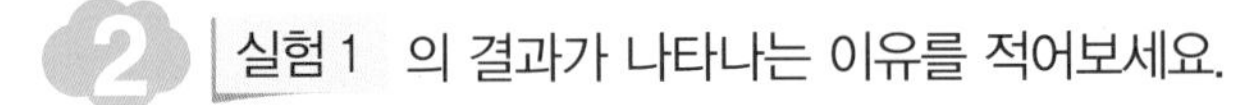

2 실험 1 의 결과가 나타나는 이유를 적어보세요.

3 실험 2 의 결과가 나타나는 이유를 적어보세요.

4 STEAM

히말라야를 등반할 때 국내 산행을 하던 속도로 올라가면 90 % 이상 쓰러집니다. 히말라야를 등반할 때는 매일 아침 7시에 일어나 산행을 시작하고 오후 3시경 산행을 마치는 것이 좋습니다. 아주 천천히 하루에 300~500 m 정도로 고도를 높여야 하며 1,000 m를 올라갈 때마다 이틀 밤을 보내면서 적응해야 합니다. 높은 산을 올라갈 때 천천히 올라가야 하는 이유를 적어보세요.

Ⅲ 물체의 운동

05 물체의 운동
06 속력과 우리 생활

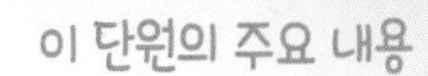

시간에 따른 위치 변화로 물체의 운동을 이해하고, 물체의 속력을 시간에 따른 이동 거리 변화로 다루어 과학적이고 객관적으로 표현한다. 속력과 관련된 안전 수칙을 알아본다.

★ 2015 개정 교육과정 교과서

초등 5~6학년 군 :
5학년 2학기 4단원 물체의 운동

★ 다른 학년과의 연계

중학교 1~3학년 군 : 운동과 에너지

시간에 따른 위치 변화로 알아보는

05 물체의 운동

1 바람으로 움직이는 종이 자동차

1. 종이 자동차가 빠르다는 의미

① 결승선에 먼저 도착한다.

② 종이 자동차가 출발선에서 더 멀리 간다.

③ 종이 자동차의 위치가 많이 변한다.

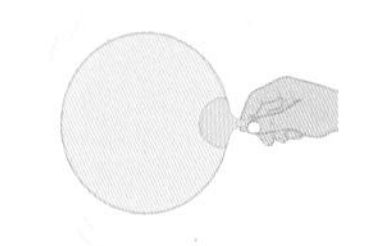

2 물체의 운동

1. 물체의 운동

① **물체의 운동** : 물체의 ⓐ＿＿ 가 시간에 따라 변할 때 물체가 운동한다고 한다.

② **물체의 운동을 나타내는 방법** : 물체가 운동하는 데 ⓑ＿＿ 과 ⓒ＿＿ 로 나타낸다.

2. 운동하는 물체와 운동하지 않은 물체

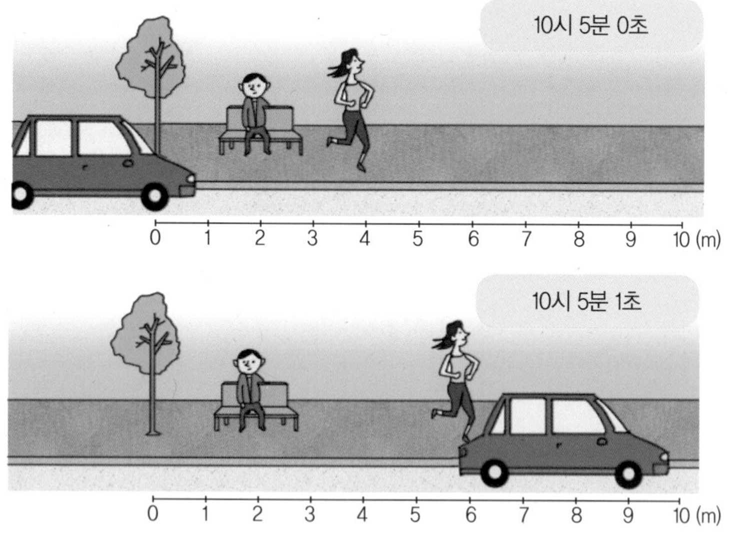

① **운동하지 않는 물체** : 시간에 따라 위치가 변하지 않는 물체

예 ⓓ＿＿, ⓔ＿＿, 벤치에 앉아 있는 사람

② **운동한 물체** : 시간에 따라 위치가 변하는 물체

예 ⓕ＿＿, 달리는 사람

③ **물체의 운동 나타내기**

- **자동차** : 1초 동안 9 m 이동했다.
- **달리는 사람** : 1초 동안 2 m 이동했다.

● **일상생활과 과학에서의 운동**

- **일상생활에서의 운동** : 사람의 몸을 단련하거나 건강을 위해 몸을 움직이는 일
- **과학에서의 운동** : 물체의 위치가 시간에 따라 변하는 것

용어 풀이

위치(자리 位, 둘 置) 일정한 곳에 자리를 차지함

운동(운전할 運, 움직일 動) 시간이 지남에 따라 물체의 위치가 변하는 모습

정답

ⓐ 위치 ⓑ 걸린 시간 ⓒ 이동 거리 ⓓ 나무 ⓔ 벤치 ⓕ 자동차

3 여러 가지 물체의 운동

1. 물체의 빠르기 비교

① 로켓은 달팽이보다 ⓐ______게 운동한다.

② 달팽이는 로켓보다 느리게 운동한다.

③ 달팽이는 치타보다 ⓑ______게 운동한다.

④ 땅 위에서는 치타가 펭귄보다 빠르게 운동한다.

⑤ 땅 위에서는 펭귄이 치타보다 ⓒ______게 운동한다.

⑥ 물속에서는 펭귄이 치타보다 빠르게 운동한다.

▲ 로켓

▲ 달팽이

▲ 치타

▲ 펭귄

2. 물체의 빠르기 변화

① **빠르기가 일정한 물체** : 자동계단, 자동길, 케이블카, 회전목마

▲ 자동계단

▲ 자동길

▲ 케이블카

▲ 회전목마

② **빠르기가 변하는 물체**

- **배드민턴공** : 라켓으로 공을 치면 처음에는 빠르게 날아가다가 빠르기가 점점 줄어들면서 바닥으로 떨어진다.
- **비행기** : 멈춰 있던 비행기가 천천히 움직이다가 점점 빠르게 하늘로 날아간다.
- **롤러코스터** : 내리막길에서는 점점 빨라지고, 오르막길에서는 점점 느려진다.
- **레일 바이크** : 페달을 빠르게 돌리면 빠르게 운동하고, 페달을 느리게 돌리면 느리게 움직인다.

▲ 배드민턴공

▲ 비행기

▲ 롤러코스터

▲ 레일 바이크

개념 더하기

● **물체의 빠르기**
- **로켓** : 우주 밖으로 나가기 위해서는 지표면에서 1초에 약 11.2 km의 빠르기로 움직여야 한다.
- **달팽이** : 1초에 약 0.1 cm를 이동한다.
- **치타** : 포유류 중에서 단거리를 가장 빨리 달릴 수 있다. 1초에 약 30 m, 1시간에 약 110 km를 이동한다.
- **펭귄** : 땅에서는 매우 느리게 뒤뚱거리며 걷지만, 물속에서는 1초에 약 8 m, 1시간에 약 30 km를 이동한다.

용어 풀이

✓ **레일 바이크(rail bike)**
철로 위를 달릴 수 있도록 만든 자전거

정답

ⓐ 빠르 ⓑ 느리 ⓒ 느리

05 물체의 운동

개념 더하기

● 초시계의 시간 기록 읽는 방법
- 왼쪽 자리는 분을 나타낸다.
- 가운데 두 자리는 초를 나타낸다.
- 오른쪽 두 자리는 1초를 100으로 나눈 값이다.

▲ 3분 43초 75

● 비디오 판독
빠르게 운동하는 물체의 순간적인 위치를 확인할 때 이용한다. 매초 수십 장 이상의 사진을 촬영한 후 천천히 재생하면서 정확한 순위를 가려낸다.

용어 풀이

스피드 스케이팅
얼음판 위에서 스피드 스케이트를 타고 빠르기를 겨루는 경기

사이클 경기
경기용 자전거를 타고 빠르기를 겨루는 경기

조정(배를 저을 漕, 배 艇)
노를 저어 배의 빠르기를 겨루는 경기

정답
ⓐ 정민 ⓑ 짧 ⓒ 시간
ⓓ 짧을

4 일정한 거리를 이동한 물체의 빠르기 비교

1. 50 m 달리기에서 가장 빠른 사람 찾기

★탐구 50 m 달리기에서 가장 빠른 사람 찾기

탐구 과정

① 운동장에 50 m 트랙을 그린다.
② 달리기를 할 모둠의 순서를 정한다.
③ 모둠별로 달리기를 하고 모둠에서 가장 빨리 달린 친구의 시간을 기록한다.

탐구 결과 및 결론

① 가장 빨리 달린 사람은 결승선까지 걸린 시간이 가장 짧은 ⓐ______이다.

모둠	1	2	3	4	5	6
이름	지후	하율	다밀	정민	수연	동현
걸린 시간(초)	9초 34	10초 12	9초 55	9초 25	10초 08	9초 46
이동 거리(m)	50	50	50	50	50	50

② 출발선에서 동시에 출발했다면 결승선에 먼저 도착한 사람이 빠르다.
③ 빨리 달리는 사람일수록 일정한 거리를 이동하는 데 걸린 시간이 ⓑ____다.

2. 일정한 거리를 이동하는 물체의 빠르기 비교 방법

① 일정한 거리를 이동하는 데 걸린 ⓒ______으로 비교한다.
② 일정한 거리를 이동하는 데 걸린 시간이 ⓓ______수록 빠르다.

3. 일정한 거리를 이동하는 데 걸린 시간을 측정해 빠르기를 비교하는 운동 경기 종목

100 m 달리기, 수영, 마라톤, 스피드 스케이팅, 스키, 조정, 사이클, 자동차 경주 등

▲ 100 m 달리기

▲ 스피드 스케이팅

▲ 스키

▲ 조정

5 일정한 시간 동안 이동한 물체의 빠르기 비교

1. 일정한 시간 동안 이동한 물체의 빠르기

탐구 5초 동안 이동한 물체의 빠르기 비교하기

탐구 과정

① 교실 바닥에 출발선을 표시하고 줄자를 출발선과 수직으로 펼쳐 놓는다.

② 종이 자동차를 출발선에 놓고 부채질을 하면서 5초 동안 이동한 거리를 측정한다.

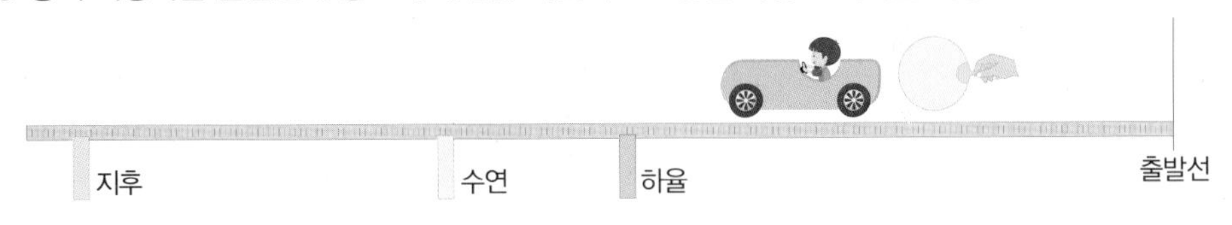

탐구 결과 및 결론

① 가장 빠른 자동차는 5초 동안 가장 멀리 이동한 ⓐ______ 자동차이다.

구분	지후 자동차	하율이 자동차	수연이 자동차
이동 거리(cm)	120	60	80

② 5초 동안 출발선에서 멀리 이동한 자동차가 빠르다.

③ 빠른 자동차일수록 일정한 시간 동안 이동한 거리가 ⓑ______다.

2. 일정한 시간 동안 이동하는 물체의 빠르기 비교 방법

① 일정한 시간 동안 이동한 ⓒ______를 비교한다.

② 일정한 시간 동안 이동한 거리가 ⓓ______수록 더 빠르다.

3. 1시간 동안 이동한 여러 가지 교통수단의 빠르기

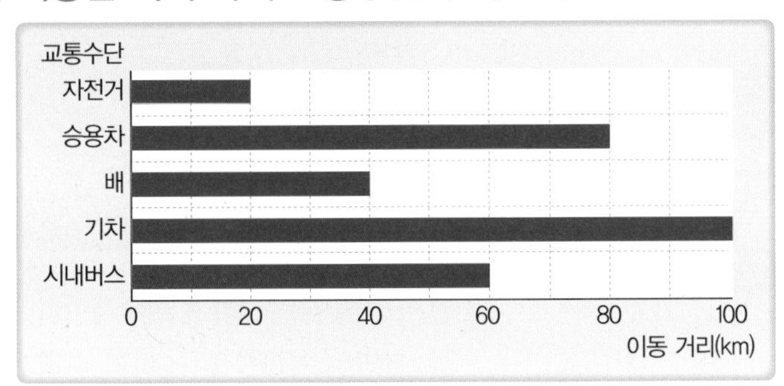

① ⓔ______가 1시간 동안 가장 먼 거리를 이동하기 때문에 가장 빠르다.

② 빠른 순서 : 기차 > 승용차 > 시내버스 > 배 > 자전거

개념 더하기

● **일정한 시간 동안 이동하는 물체의 빠르기를 비교하는 예**

- **시간기록계** : 종이테이프에 일정한 시간 간격으로 타점이 기록된다. 물체가 빠르게 운동할수록 타점 간격이 넓다.
- **다중 노출 합성 사진** : 일정한 시간 간격으로 촬영한 모습을 한 장의 사진으로 이어 보면 물체의 빠르기가 변하는 모습을 확인할 수 있다. 물체가 빠르게 운동할수록 물체의 간격이 넓다.

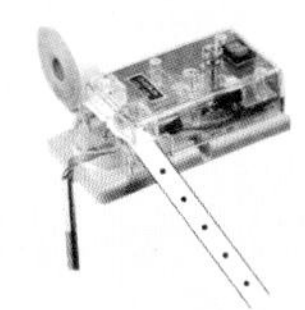

▲ 시간기록계

다중 노출 합성 사진 ▶

정답

ⓐ 지후 ⓑ 멀 ⓒ 거리 ⓓ 멀 ⓔ 기차

개념기르기

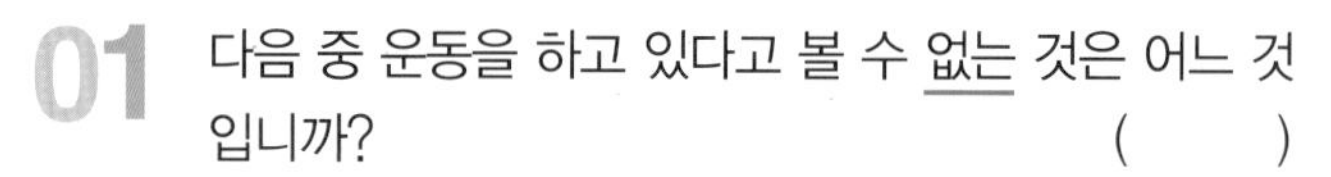

01 다음 중 운동을 하고 있다고 볼 수 없는 것은 어느 것입니까? ( )

① 

▲ 타자가 친 공

② 
▲ 달리는 원동기

③ 
▲ 수영하는 사람

④ 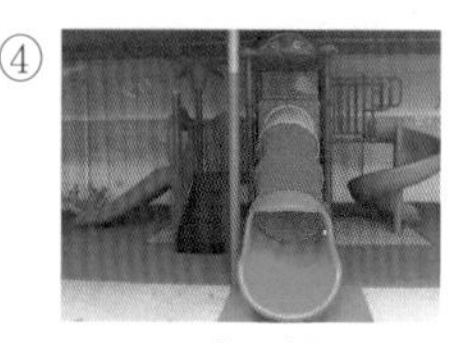
▲ 미끄럼틀

⑤ 
▲ 헤엄치는 물고기

신유형

02 다음 중 그림에서 물체의 운동에 대한 설명으로 옳지 않은 것은 어느 것입니까? ( )

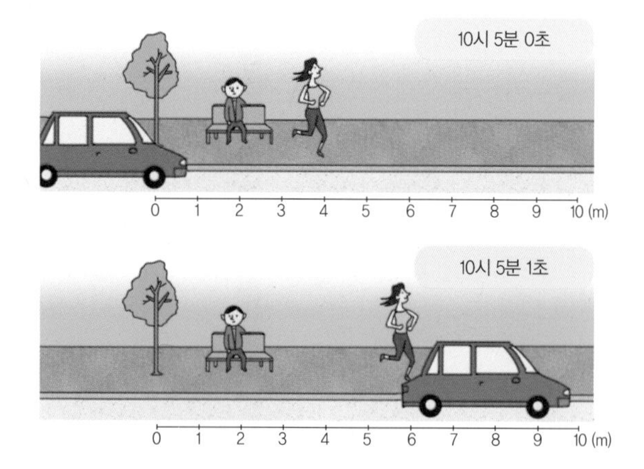

① 벤치와 나무는 운동하지 않았다.
② 자동차와 달리는 사람은 운동했다.
③ 자동차는 1초 동안 6 m 이동했다.
④ 달리는 사람은 1초 동안 2 m 이동했다.
⑤ 자동차가 달리는 사람보다 빠르다.

03 다음 중 물체의 빠르기가 변하는 것을 모두 고르세요. (,)

① 자동계단 ② 롤러코스터 ③ 케이블카
④ 레일 바이크 ⑤ 회전목마

중요

04 일정한 거리를 이동하는 물체의 빠르기를 비교할 때 알아야 할 것을 모두 고른 것은 어느 것입니까? ( )

보기
㉠ 물체의 크기 ㉡ 물체가 이동한 거리
㉢ 물체의 무게 ㉣ 이동하는 데 걸린 시간

① ㉠, ㉡ ② ㉠, ㉢ ③ ㉡, ㉣
④ ㉠, ㉢, ㉣ ⑤ ㉡, ㉢, ㉣

05 다음 중 200 m 달리기 선수들이 육상 트랙의 서로 다른 위치에서 출발하는 이유로 옳은 것은 어느 것입니까? ( )

① 1등 확인을 잘하기 위해서이다.
② 달리는 거리를 같게 하기 위해서이다.
③ 시간을 측정하는 데 편하기 위해서이다.
④ 달리는 시간을 좀 더 줄이기 위해서이다.
⑤ 선수들이 각각 다른 시각에 출발하기 때문이다.

06 50 m 달리기를 할 때, 빠르기를 비교하는 방법으로 가장 옳은 것은 어느 것입니까? ( )

① 일정한 시간 동안 이동한 거리를 측정하여 빠르기를 비교한다.
② 일정한 거리를 이동했을 때 걸린 시간을 측정하여 빠르기를 비교한다.
③ 걸린 시간을 나타내는 숫자가 작을수록 느리다.
④ 걸린 시간을 나타내는 숫자가 클수록 빠르다.
⑤ 도착 등수만 확인하고 시간은 재지 않아도 된다.

07 정우 반 친구의 100 m 달리기 결과에 대한 설명으로 옳은 것은 어느 것입니까? ( )

이름	정우	수민	예은	현우	하율
걸린 시간(초)	16	28	20	17	21

① 모두 함께 달렸다면 하율이가 수민이 다음으로 결승선에 도착할 것이다.
② 하율이가 가장 빨리 달렸다.
③ 모두 함께 달렸다면 예은이가 가장 먼저 결승선에 도착할 것이다.
④ 현우가 가장 느리게 달렸다.
⑤ 정우가 가장 빨리 달렸다.

08 다음 중 일정한 거리를 이동하는 데 걸린 시간으로 물체의 빠르기를 비교하는 운동 경기 종목으로 옳은 것을 모두 고른 것은 어느 것입니까? ( )

㉠ 400 m 수영 경기　㉡ 마라톤
㉢ 원반 던지기　㉣ 농구

① ㉠, ㉡　② ㉠, ㉢　③ ㉠, ㉣
④ ㉡, ㉢　⑤ ㉢, ㉣

09 다음 중 물체의 위치와 운동에 대한 설명으로 옳지 않은 것은 어느 것입니까? ( )

① 물체의 운동은 시간에 따라 물체의 위치가 변하는 것이다.
② 돌고 있는 회전목마와 물이 떨어지는 폭포는 운동하고 있다.
③ 일정한 시간 동안 이동한 거리가 길수록 물체의 빠르기가 느리다.
④ 일정한 거리를 이동할 때 걸린 시간이 짧을수록 물체의 빠르기가 빠르다.
⑤ 물체의 운동은 물체가 운동하는 데 걸린 시간과 위치 변화로 알 수 있다.

신유형

10 다음은 각 교통수단이 한 시간 동안 이동한 거리를 그래프로 나타낸 것이다. 이에 대한 설명으로 옳지 않은 것은 어느 것입니까? ( )

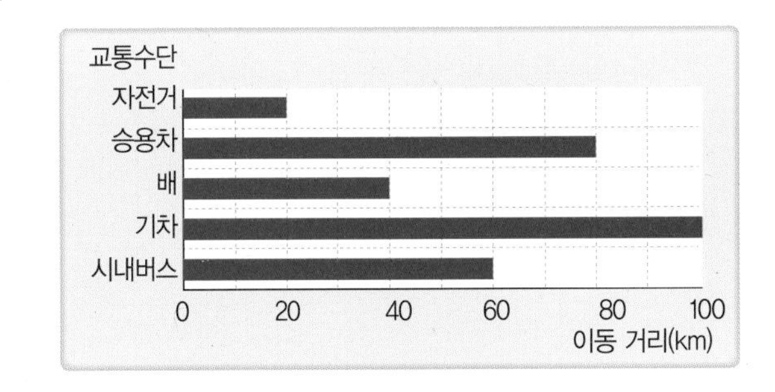

① 자전거가 가장 느리다.
② 배는 자전거보다 2배 빠르다.
③ 1시간 동안 이동 거리가 가장 긴 것은 기차이다.
④ 1시간 동안 60 km를 이동하는 시내버스는 기차보다 느리다.
⑤ 시내버스와 승용차가 출발점에서 동시에 출발했을 때 1시간 후 두 차 사이의 거리는 10 km이다.

서술형으로 다지기

손에 잡히는 문제 해결

종이 자동차의 빠르기를 비교하기 위해서 알아야 할 것은 무엇인가요?

▼

미리 정해야 하는 것은 무엇인가요?

▼

직접 측정해야 하는 것은 무엇인가요?

01 바람으로 종이 자동차를 움직여 모둠에서 가장 빠른 종이 자동차를 찾으려고 합니다. 종이 자동차의 빠르기를 비교할 수 있는 방법을 적어보세요.

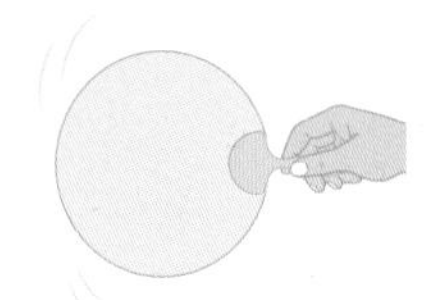

손에 잡히는 문제 해결

테이프의 간격은 무엇을 의미하나요?

▼

테이프의 간격이 넓은 것은 무엇을 의미하나요?

▼

각 인형은 어떤 운동을 하고 있나요?

02 다음은 3가지 태엽 인형이 1초마다 움직인 거리를 테이프로 표시한 것입니다. 각 인형의 운동을 적어보세요.

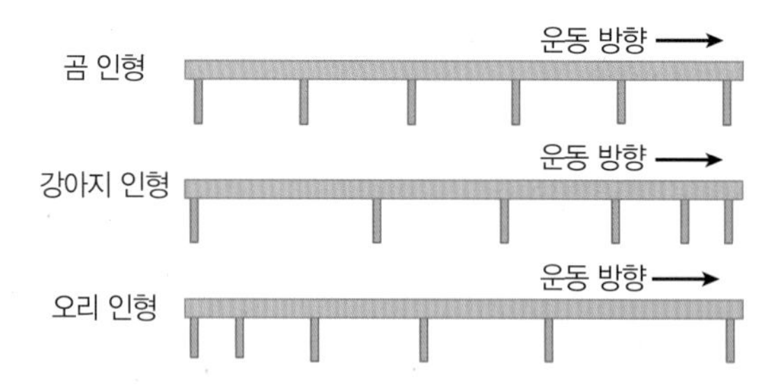

03 소나기가 내리는 날 구름 사이로 번쩍이는 번개를 볼 수 있는데 항상 번개가 친 후에 천둥소리가 들립니다. 이런 현상이 생기는 이유를 적어보세요.

손에 잡히는 문제 해결

번개는 무엇인가요?

천둥은 무엇인가요?

빛과 소리 중
빠른 것은 무엇인가요?

04 유럽 항해사들은 배의 빠르기를 알아보기 위해 다음과 같은 재료를 이용하였습니다. 다음 도구를 이용하여 배의 빠르기를 어떻게 측정했는지 적어보세요.

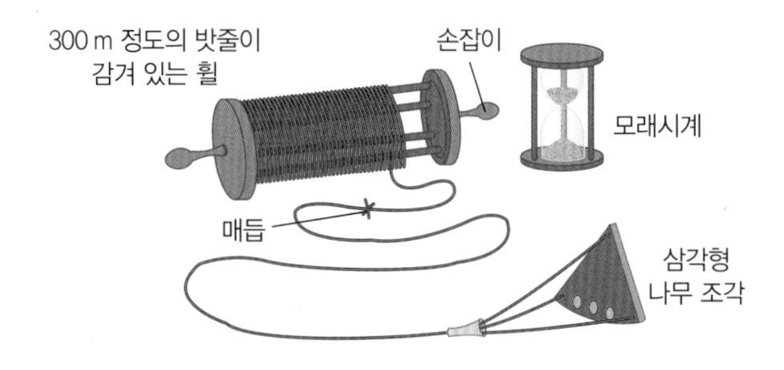

손에 잡히는 문제 해결

빠르기를 알아보려면
무엇을 측정해야 하나요?

모래시계로 무엇을 측정할 수 있나요?

매듭이 있는 밧줄로
무엇을 측정할 수 있나요?

융합사고력 키우기

- ✓ Science
  - ▶ 물체의 속력
- Technology
- ✓ Engineering
  - ▶ 고속 열차
- Art
- ✓ Mathematics
  - ▶ 속력

75분 만에 일본 도착

2022년 11월 어느 날. 서울에 사는 최고속 부장은 일본 출장을 가기 위해 평소보다 1시간 일찍 집을 나섰다. 그가 도착한 곳은 공항이 아닌 서울역. 출입국 수속을 마치고 도쿄행 급행 고속 열차를 탔다. 시속 1,000 km로 대한해협에 놓인 해저터널을 지났다. 최 부장이 일본 도쿄역에 내린 시간은 집을 나선 지 두 시간 만인 오전 9시. 마침 도쿄역 맞이방에는 중국 상하이 지사 본부장, 러시아 블라디보스토크 지사 과장도 도착했다. 미래에는 일본을 1~2시간 만에 가고, 도심에는 시내버스와 전철의 구분이 사라진 차량이 오가는 것을 보게 될 것이다. 대전에서 열린 '국제전기자동차 포럼(IFEV 2012)'에서는 다양한 미래 교통수단의 청사진이 제시됐다. 최근 세계 각국의 자동차 업체는 이산화 탄소 배출량과 석유 의존도를 줄이기 위해 온라인 전기 자동차, 플러그인 하이브리드, 배터리 교체 방식 전기 자동차 등 다양한 기술을 개발하고 있다. 전문가들은 전기기술 발달로 개인용 차량은 물론이고 대중교통 시스템이 바뀔 것으로 예상한다.

1 서울에서 도쿄를 가는 데 급행 고속 열차를 이용하면 75분이 걸리고, 비행기를 이용하면 2시간이 걸립니다. 더 빠른 교통수단은 무엇인가요?

용어 풀이

- **대한해협(클 大, 나라이름 韓, 바다 海, 골짜기 峽)**
  우리나라와 일본의 규슈 사이에 있는 약 200 km의 바다
- **청사진(푸를 靑, 베낄 寫, 참 眞)**
  미래에 대한 희망적인 계획이나 구상
- **플러그인 하이브리드(plug-in hybrid)**
  엔진과 발전기를 함께 사용하는 자동차로 전기 콘센트에 플러그를 꽂아 충전한다.

2 대륙 또는 국가를 연결하는 장거리 열차 기술의 핵심은 고속화입니다. KTX와 같은 고속 열차와 자기부상열차 모두 속도가 점점 빨라지고 있습니다. 초고속 운송 수단이 발달하면 국가 전체가 하나의 도시처럼 바뀔 것입니다. 초고속 열차를 만드는 데 가장 큰 걸림돌은 공기 저항입니다. 해저터널을 이용한 진공 튜브 열차는 어떻게 공기 저항을 줄여 속력을 크게 하는지 적어보세요.

손에 잡히는 STEAM

공기 저항은 물체의 움직임에 어떤 영향을 미치나요?

▼

진공 튜브의 안과 밖은 어떤 차이가 있나요?

▼

진공 튜브 열차가 빠른 속도로 달릴 수 있는 이유는 무엇인가요?

논술형

3 미래의 배는 물 위를 스치듯 날아가는 위그선 형태로 변할 것이라는 의견이 많습니다. 위그선은 수면과 날개 사이에 생긴 공기 덩어리 위를 나는 방식입니다. 위그선의 장점을 적어보세요.

위그선

손에 잡히는 STEAM

위그선은 어떻게 움직이나요?

▼

배와 위그선의 차이점은 무엇인가요?

▼

위그선의 장점은 무엇인가요?

06 걸린 시간과 이동 거리로 나타내는 속력과 우리 생활

1 물체의 속력

1. 물체의 빠르기 비교 방법

① 일정한 거리를 이용한 물체의 빠르기 : ⓐ＿＿＿＿＿＿을 측정하여 비교한다.

➡ 걸린 시간이 짧을수록 빠르다.

② 일정한 시간 동안 이동한 물체의 빠르기 : ⓑ＿＿＿＿＿＿를 측정하여 비교한다.

➡ 이동 거리가 멀수록 빠르다.

③ 이동 거리와 걸린 시간이 모두 다른 경우 : ⓒ＿＿＿으로 나타내어 비교한다.

2. 속력

① 속력 : 1초, 1분, 1시간 등과 같은 단위 시간 동안 물체가 이동한 거리

② 속력 구하기 : (속력)=(ⓓ＿＿＿＿＿＿)÷(ⓔ＿＿＿＿＿＿)

③ 속력의 단위 : m/s, km/h 등

13 m/s	• 십삼 미터 퍼 세컨드, 초속 십삼 미터 • 1초 동안 13 m를 이동하는 빠르기이다.
80 km/h	• 팔십 킬로미터 퍼 아워, 시속 팔십 킬로미터 • 1시간 동안 80 km를 이동하는 빠르기이다.

④ 속력 비교

- 걸린 시간이 같을 때에 이동 거리가 ⓕ＿＿수록 속력이 크다.
- 이동한 거리가 같을 때에 걸린 시간이 ⓖ＿＿＿수록 속력이 크다.
- 속력이 클수록 물체가 ⓗ＿＿＿다.

개념 더하기

● **속력의 단위 시간**
1초 동안 이동한 거리는 초속, 1분 동안 이동한 거리는 분속, 1시간 동안 이동한 거리는 시속으로 나타낸다.

● **순간 속력과 평균 속력**
- **순간 속력** : 물체가 어느 한 지점을 지나는 순간의 속력
- **평균 속력** : 속력이 계속 변하는 물체의 운동은 그 순간순간의 속력을 나타내기 어려우므로 평균 속력으로 나타낸다.
(평균 속력)=(전체 이동 거리)÷(전체 걸린 시간)

★더 알아보기 속력 계산하기

① 10초 동안 40 m를 걷는 사람의 속력은? 속력=40 m÷10 s=ⓘ＿＿＿

② 40 m를 10초에 달린 다밀이와 100 m를 20초에 달린 민재의 속력을 비교하면?
다밀이의 속력=40 m÷10 s=4 m/s, 민재의 속력=100 m÷20 s=5 m/s, ⓙ＿＿＿가 더 빠르다.

③ 어떤 수영 선수는 400 m 경기에서 3분 20초를 기록했고, 200 m 경기에서는 1분 20초를 기록했다. 어느 경기에서 더 빨랐는가?
400 m 경기의 속력=400 m÷200 s=2 m/s, 200 m 경기의 속력=200 m÷80 s=2.5 m/s
200 m 경기에서 더 빠르다.

④ 자동차는 160 km를 2시간에 달리고, 기차는 360 km를 3시간에 달린다. 더 빠른 교통수단은?
자동차의 속력=160 km÷2 h=80 km/h, 기차의 속력=360 km÷3 h=120 km/h
ⓚ＿＿＿가 더 빠르다.

용어 풀이

속력(빠를 速, 힘 力)
물체의 빠르기를 나타내는 방법

정답

ⓐ 걸린 시간 ⓑ 이동 거리
ⓒ 속력 ⓓ 이동 거리
ⓔ 걸린 시간 ⓕ 멀 ⓖ 짧을
ⓗ 빠르 ⓘ 4 m/s ⓙ 민재
ⓚ 기차

2 여러 가지 물체의 속력

1. 여러 가지 물체의 속력

구분	속력	비교
교통수단	• 고속 열차 : 140 km/h • 헬리콥터 : 250 km/h	고속 열차보다 헬리콥터가 더 빠르다.
일기 예보	• 바람 : 8 m/s • 태풍 솔릭 바람 : 43 m/s	바람보다 태풍 솔릭 바람이 더 빠르다.
동물	• 치타 : 120 km/h • 거북이 : 1.5 km/h	거북이보다 치타가 더 빠르다.
운동 경기	• 양궁 화살 : 240 km/h • 100 m 달리기 세계 신기록 : 10.4 m/s	100 m 달리기 세계 신기록보다 양궁 화살이 더 빠르다.
빛	• 300,000 km/s	빛이 가장 빠르다.

★더 알아보기 물체의 운동을 나타낸 거리-시간 그래프

① 기울기는 ⓐ______을 나타낸다.

기울기=속력=$\frac{\text{이동 거리}}{\text{걸린 시간}}$

② 일정한 시간 동안 많이 이동할수록 그래프 위에 그려진 선분이 많이 기울어져 있다.

③ 선분이 많이 기울어질수록 물체의 속력이 ⓑ____다.

➡ A의 속력>B의 속력>C의 속력

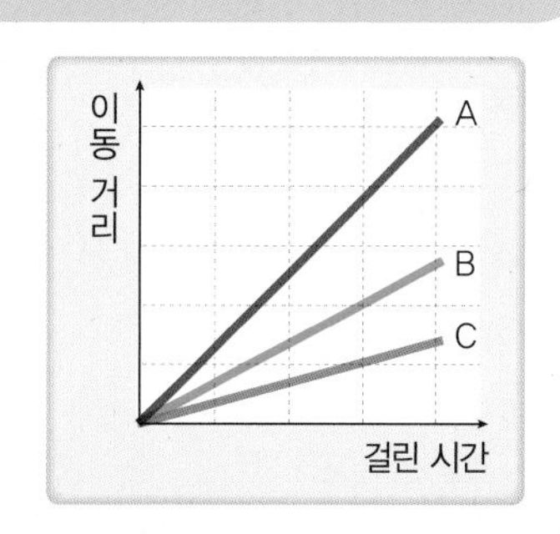

★생활 속 과학 고속 도로 과속 차량 단속 방법

고속 도로에서 과속 차량을 단속하는 방법은 두 가지가 있다.

① 순간 속력 측정 : 스피드 건을 사용하여 지나가는 자동차의 순간 속력을 측정한다.

② 평균 속력 측정 : 특정한 도로 구간의 시작 지점과 끝 지점에서 각각 촬영한다. 시작 지점과 끝 지점에서 차량이 통과하는 시간을 측정해 구간에서의 평균 속력을 구한다. 단속 구간이 총 10 km이고 속도 제한이 100 km/h라고 하면 해당 구간을 통과하는 데 6분보다 더 오래 걸려야 한다. 만약 6분보다 더 짧은 시간에 통과했다면 과속으로 판정된다.

개념 더하기

● **태풍**

태풍은 중심 부근의 최대 풍속이 17 m/s 이상이고 폭풍우를 동반하는 열대 저기압이다. 태풍은 저위도 바다에서 생겨 고위도로 이동한다. 우리나라에 영향을 미치는 태풍은 일 년에 약 3개 정도인데, 주로 6~10월에 생긴다.

● **그래프를 사용하면 좋은 점**

- 표나 그래프를 사용하면 실험 결과를 정리하고 해석하는 데 도움이 된다.
- 실험 결과를 한눈에 쉽게 알아볼 수 있다.
- 실험에서 일어나는 일의 변화 방향이나 특성을 알 수 있다.
- 실험에서 일어날 일을 예상할 수 있다.

용어 풀이

기울기
수평선에 대한 경사선의 기울어진 정도

풍속(바람 風, 빠를 速)
바람의 속력

과속(지날 過, 빠를 速)
속력이 너무 큼

정답

ⓐ 속력 ⓑ 크

06 속력과 우리 생활

개념 더하기

3 물체의 속력과 우리 생활

1. 속력과 관련된 안전장치

① **자동차의 속력이 클 때 위험** : 충돌 사고가 발생하면 큰 충격으로 인해 자동차 운전자와 보행자가 크게 다칠 수 있다.

● 자동차의 속력이 클 때 위험
- 운전자가 위험 상황에 바로 대처하기 어렵다.
- 제동 장치를 밟더라도 자동차가 바로 멈추지 않는다.

② **자동차에 설치된 안전장치**

- ⓐ________ : 긴급 상황에서 운전자의 몸을 고정한다.
- ⓑ________ : 충돌 사고에서 운전자의 몸에 가해지는 충격을 줄인다.

▲ 안전띠

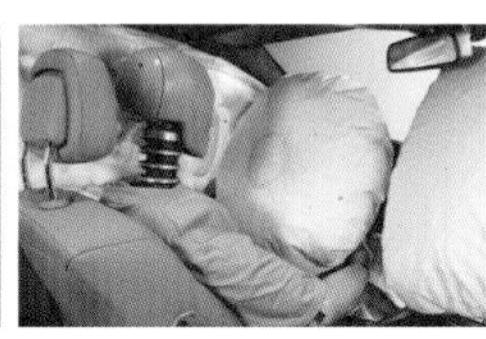
▲ 에어백

- **차간 거리 유지 장치** : 가속 페달을 밟지 않아도 자동차를 운전자가 원하는 속력으로 운행하여 자동차 안전거리를 유지할 수 있게 한다.
- **자동 긴급 제동 장치** : 앞차와 충돌 위험이 있을 때 자동차가 자동으로 멈추게 해 준다.

③ **도로에 설치된 안전장치**

- **교통 표지판** : 운전자와 보행자에게 위험 상황이나 규칙을 알려준다.
- **횡단보도** : 보행자가 안전하게 길을 건널 수 있도록 보행자를 보호하는 구역이다.
- ⓒ________ : 자동차의 속력을 줄여서 사고를 막는다.
- **어린이 보호 구역** : 학교 주변 도로에서 자동차의 속력을 제한해 어린이들의 교통 안전 사고를 막는다.

▲ 교통 표지판

▲ 횡단보도

▲ 과속 방지 턱

▲ 어린이 보호 구역

④ **교통안전을 위한 노력**

- **제한 속도** : 도로마다 자동차가 일정한 속력 이상으로 달리지 못하도록 제한한다.
- **과속 단속 카메라** : 도로에 설치해 과속 차량을 단속한다.
- **교통경찰** : 교통 법규를 위반하는 차량을 단속한다.
- **녹색 학부모** : 어린이들이 안전하게 길을 건너도록 도와준다.

▲ 제한 속도

▲ 과속 단속 카메라

▲ 교통경찰

▲ 녹색 학부모

용어 풀이

✓ **제동 장치(억제할 制, 움직일 動 꾸밀 裝, 둘 置)**
자동차의 운전 속도를 조절하고 제어하는 장치

정답
ⓐ 안전띠 ⓑ 에어백
ⓒ 과속 방지 턱

2. 속력과 관련된 안전 수칙

① 교통안전 ⓐ______ : 안전한 생활을 위해 교통수단이나 시설과 관련하여 생활에서 실천해야 하는 것

② 어린이들이 지켜야 할 교통안전 수칙

- 무단 횡단을 하지 않고 ⓑ__________에서 길을 건넌다.
- 횡단보도를 건널 때 자동차가 멈췄는지 확인하고 건넌다.
- 횡단보도 신호등의 초록불이 켜지면 잠시 기다린 후 건넌다.
- 횡단보도를 건널 때 좌우를 살핀다.
- 버스가 정류장에 도착할 때까지 인도에서 기다린다.
- 도로 주변에서는 공을 공 주머니에 넣은 후 들고 걷는다.
- 횡단보도에서는 자전거에서 내려 자전거를 끌고 길을 건넌다.

③ 어린이 교통안전을 위해 어른들이 지켜야 할 교통안전 수칙

- 어린이 보호 구역에서는 자동차의 속력을 30 km/h 이하로 줄인다.
- 어린이가 길을 건널 때까지 기다린다.
- 주차장이 아닌 곳에 자동차를 주차하지 않는다.

④ 속력과 관련된 안전 수칙

- 자동계단이나 자동길에서는 바로 서서 이동한다.
- 회전문에서는 순서를 기다려 천천히 밀고 나간다.
- 가게에서 쇼핑 카트를 천천히 이동한다.

★생활 속 과학 넛지 효과

넛지는 '슬쩍 찌르다, 주위를 환기시키다'라는 뜻이다. 팔을 잡아끄는 것 같은 강제보다 팔꿈치로 옆구리를 툭 치는 것과 같은 부드러운 개입으로, 강요가 아니라 자신도 모르게 바뀌도록 하는 것이다.

- 지그재그 차선 : 운전자가 봤을 때 앞에 차가 있으면 마름모꼴(서행 표시) 표지가 잘 보이지 않기 때문에 학교 앞처럼 속도를 줄여 운전할 필요가 있는 곳에 지그재그 차선을 그린다.
- 옐로카펫과 노란 발자국 : 어린이들이 안전한 곳에서 횡단보도 신호를 기다리게 한다.
- 3D 횡단보도 : 운전자에게 장애물이 있는 듯한 착시를 불러일으켜 속도를 줄이도록 한다.
- 컬러 주행 유도선 : 길을 안내해 주고 선을 따라가는 심리를 이용하여 차선 변경을 줄이도록 한다.

▲ 지그재그 차선

▲ 옐로카펫과 노란 발자국

▲ 3D 횡단보도

▲ 컬러 주행 유도선

개념 더하기

● 안전하게 길을 건너는 방법

- 신호등이 있는 횡단보도 : 차와 거리가 먼 오른쪽으로 건너는 것이 안전하다. 차량이 멈춘 것을 확인한 후에 천천히 길을 건넌다.
- 신호등이 없는 횡단보도 : 차와 거리가 먼 오른쪽으로 건너는 것이 안전하다. 손을 들어서 '제가 먼저 갈테니 멈춰 주세요'라는 뜻을 밝힌다. 차량이 멈춘 것을 확인한 후에 천천히 길을 건넌다.
- 주•정차된 차량 사이 : 멈춰있는 차량 사이에서 뛰쳐나가면 천천히 걷는 것보다 사고 발생률이 18배 높다. 손을 들어 운전자와 눈을 맞추고 차량이 멈춘 것을 확인한 후에 천천히 길을 건넌다.

용어 풀이

수칙(지킬 守, 법칙 則) 지켜야 할 사항을 정한 규칙

정답

ⓐ 수칙 ⓑ 횡단보도

개념기르기

01 다음 중 속력에 대한 설명으로 옳은 것을 모두 고른 것은 어느 것입니까? (　　)

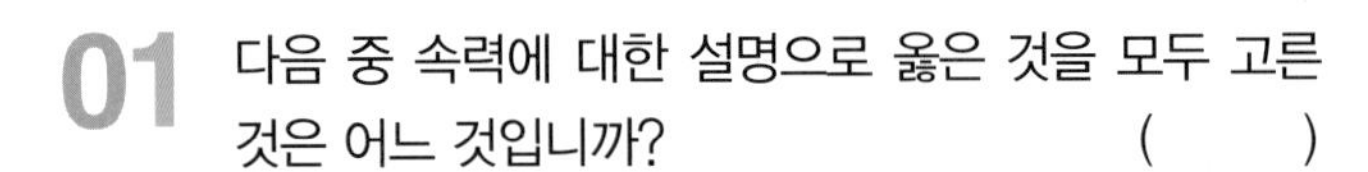

보기
- ㉠ 6 m/s는 육 미터 퍼 아워라고 읽는다.
- ㉡ 속력의 단위에는 m/s, km/h 등이 있다.
- ㉢ 3 m/s는 1초에 3 m를 이동하는 빠르기이다.
- ㉣ 걸린 시간을 이동 거리로 나누어 구할 수 있다.

① ㉠, ㉡　② ㉡, ㉢　③ ㉡, ㉣　④ ㉠, ㉡, ㉣　⑤ ㉡, ㉢, ㉣

신유형

02 다음은 여러 가지 물체가 10초 동안 이동할 수 있는 거리를 비교한 것입니다. 기차보다 빠르기 위해서 1시간 동안 이동해야 할 거리로 알맞은 것은 어느 것입니까? (　　)

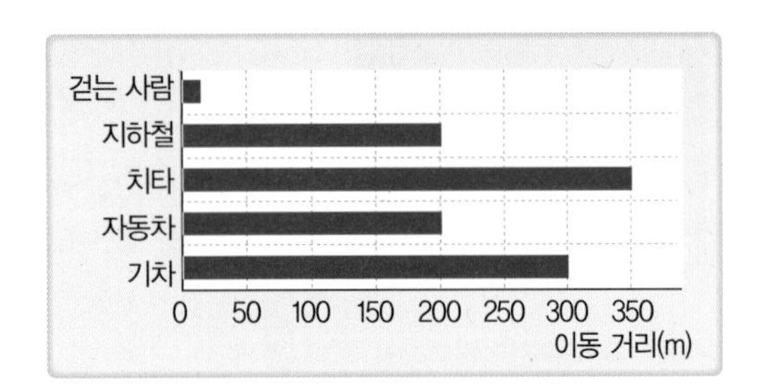

① 70 km　② 80 km　③ 90 km　④ 100 km　⑤ 110 km

03 다음 중 속력이 가장 빠른 것은 어느 것입니까? (　　)

① 30초에 90 m 달리는 자전거
② 144 km/h로 날아가는 야구공
③ 30분에 36 km로 달리는 자동차
④ 50 m를 5초에 달리는 육상선수
⑤ 1시간에 18 km를 달리는 오토바이

[04~05] 다음은 종이 자동차의 움직임을 1초 간격으로 6초 동안 나타낸 것입니다.

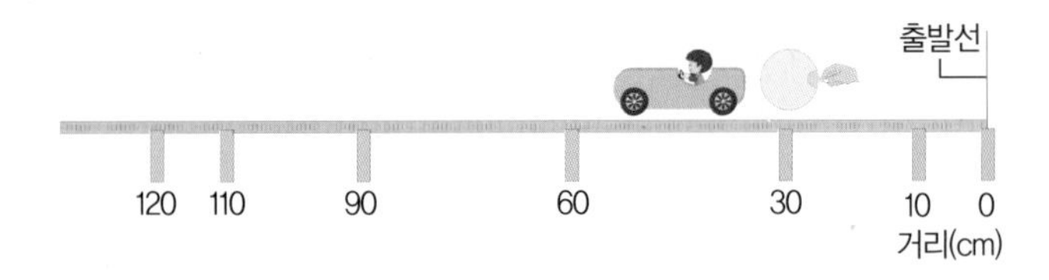

04 6초 동안 종이 자동차의 평균 속력으로 옳은 것은 어느 것입니까? (　　)

① 10 cm/s　② 20 cm/s　③ 25 cm/s　④ 30 cm/s　⑤ 35 cm/s

05 2~4초 사이 종이 자동차의 속력으로 옳은 것은 어느 것입니까? (　　)

① 10 cm/s　② 20 cm/s　③ 25 cm/s　④ 30 cm/s　⑤ 35 cm/s

06 다음은 여러 동물의 이동한 거리와 걸린 시간을 측정한 표입니다. 속력이 큰 순서대로 나열한 것은 어느 것입니까? (　　)

동물	타조	치타	여우	양
이동한 거리	6 km	30 m	2 km	2 km
걸린 시간	60분	1초	10분	60분

① 치타－여우－타조－양
② 타조－여우－치타－양
③ 여우－치타－타조－양
④ 타조－양－여우－치타
⑤ 치타－타조－양－여우

신유형

07 자동계단은 1분에 30 m의 빠르기로 이동합니다. 45 m의 자동계단을 타고 위층까지 올라가는 데 걸리는 시간으로 옳은 것은 어느 것입니까? (　　)

① 60초　② 70초　③ 80초
④ 90초　⑤ 100초

08 다음 그래프는 자동차의 움직임을 시간에 따라 나타낸 것입니다. 이에 대한 설명으로 옳은 것을 모두 고른 것은 어느 것입니까? (　　)

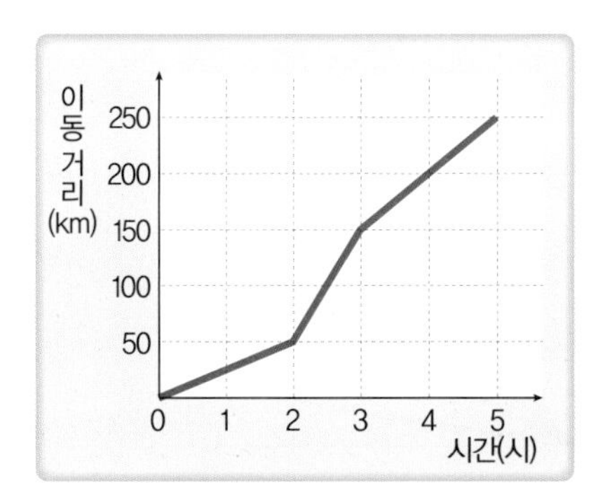

보기
㉠ 0~2시간 동안 자동차는 50 km를 움직였다.
㉡ 2~3시간 동안 자동차의 속력은 50 km/h이다.
㉢ 자동차가 가장 빨리 달린 구간은 2~3시이다.
㉣ 5시간 동안 자동차의 평균 속력은 50 km/h이다.

① ㉠, ㉡　② ㉠, ㉢　③ ㉡, ㉢
④ ㉢, ㉣　⑤ ㉠, ㉢, ㉣

중요

09 교통안전을 위한 설명으로 옳은 것을 모두 고른 것은 어느 것입니까? (　　)

보기
㉠ 에어백은 긴급 상황에서 운전자의 몸을 고정한다.
㉡ 교통 표지판은 위험 상황이나 규칙을 알려준다.
㉢ 학교 주변 도로에는 어린이 보호 구역을 지정해 자동차의 속력을 제한한다.
㉣ 녹색 학부모는 어린이들이 안전하게 길을 건너도록 도와준다.

① ㉠, ㉡　② ㉠, ㉢　③ ㉡, ㉢
④ ㉢, ㉣　⑤ ㉡, ㉢, ㉣

10 오른쪽 그림과 같은 것을 도로에 설치하는 이유로 옳은 것은 어느 것입니까? (　　)

① 자동차의 종류를 파악하기 위해서이다.
② 자동차의 무게를 측정하기 위해서이다.
③ 지나가는 자동차의 수를 파악하기 위해서이다.
④ 자동차 바퀴가 닳지 않게 보호하기 위해서이다.
⑤ 자동차의 속력을 줄여 과속을 방지하기 위해서이다.

11 다음 그림처럼 이동 방향과 빠르기가 같은 두 자동차에 타고 있는 사람이 서로의 자동차를 볼 때 어떻게 보이는지에 대한 설명으로 옳은 것은 어느 것입니까? (　　)

① 멈춰있는 것처럼 보인다.
② 뒤로 가는 것으로 보인다.
③ 앞으로 가는 것으로 보인다.
④ 점점 멀어지는 것으로 보인다.
⑤ 점점 가까워지는 것으로 보인다.

서술형으로 다지기

손에 잡히는 문제 해결

천둥소리의 속력은 얼마인가요?

▼

속력은 어떻게 구할 수 있나요?

▼

속력과 걸린 시간을 알고 있을 때 이동 거리는 어떻게 구할 수 있나요?

01 다음은 벼락이 치는 장면입니다. 빛의 속력은 300,000 km/s이고 소리의 속력은 340 m/s 이기 때문에 번개가 친 후에 천둥소리가 들립니다. 번개를 보고 난 후 3 초 후에 천둥소리를 들었다면 번개가 친 곳은 몇 m 떨어진 곳인지 풀이 과정과 함께 구해보세요.

손에 잡히는 문제 해결

속력은 무엇인가요?

▼

속력이 클 때 일정한 시간 동안 이동한 거리는 어떠한가요?

▼

속력이 클 때 일정한 거리를 이동하는 데 걸린 시간은 어떠한가요?

02 다음은 다람쥐, 토끼, 거북이의 운동을 시간에 따른 이동 거리를 그래프로 나타낸 것입니다. 속력이 가장 큰 동물과 속력이 가장 작은 동물을 고르고, 그렇게 생각한 이유를 적어보세요.

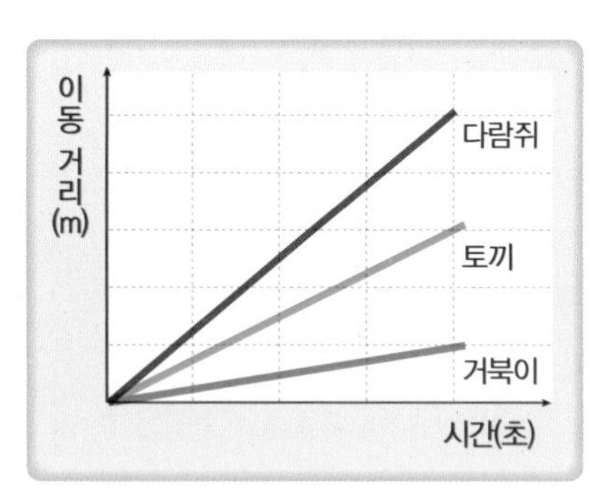

(1) 속력이 가장 큰 동물 :

(2) 속력이 가장 작은 동물 :

(3) 이유 :

03 수민이는 자전거를 타고 공원에서 4 m/s로 달리고 있습니다. 자전거는 브레이크를 잡으면 2초 후에 정지할 수 있습니다. 수민이는 자전거를 타던 중 8 m 앞에 정지해 있는 다른 자전거와 부딪치지 않기 위해 브레이크를 잡았습니다. 수민이가 정지해 있던 자전거와 부딪칠지 아닐지 적어보세요.

손에 잡히는 문제 해결

수민이의 자전거는 1초에 얼마나 이동하나요?

▼

정지해 있는 자전거는 몇 m 앞에 있나요?

▼

자전거의 브레이크를 잡으면 얼마나 이동하나요?

04 초등학교 근처에는 다음과 같은 어린이 보호 구역 표지판이 있습니다. 이 표지판의 최고 제한 속도는 시속 30 km로, 일반 도로의 제한 속도와 다릅니다. 그 이유를 적어보세요.

▲ 어린이 보호구역 제한 속도 표시판

▲ 일반 도로 제한 속도 표시판

손에 잡히는 문제 해결

제한 속도란 무엇인가요?

▼

제한 속도는 무엇에 따라 달라지나요?

▼

어린이가 주로 다니는 구역은 제한 속도가 어떠해야 하나요?

융합사고력 키우기

STEAM

- ✓ Science
  - ▶ 속력과 충돌
- Technology
- ✓ Engineering
  - ▶ 에어백
- Art
- Mathematics

차량 충돌 시 탑승자를 보호하는 에어백의 원리

에어백의 작동 조건은 에어백의 종류와 차의 종류에 따라 조금씩 차이가 있지만, 정면충돌 에어백은 정면에서 좌우 30° 이내의 각도에서 유효 충돌 속도가 약 30 km/h 이상일 때 작동한다.

에어백은 어떻게 해서 커질까? 에어백은 충격 감지 시스템과 에어백이 터지도록 하는 기체 팽창 장치, 에어백으로 이루어진 에어백 모듈로 구성되어 있다. 충격 감지 시스템은 충돌 센서와 전자 센서 두 부분으로 이루어져 있다. 차가 일정 속도 이상으로 충돌하는 순간, 충돌 센서의 롤러가 관성에 의해 앞쪽으로 구르면서 스위치를 누르고, 전기 회로에 전류가 흘러 가스 발생 장치에 폭발이 일어난다. 이때까지 걸리는 시간은 0.01초이다. 가스 발생 장치에서 폭발이 일어나면 질소 기체가 발생하여 에어백 안으로 순식간에 들어간다. 가스 발생 장치의 작동과 함께 에어백이 완전히 부풀기까지 걸리는 시간은 약 0.03 초 이내이다. 에어백에 담기는 질소 기체의 양은 약 60 L로, 기체가 충격을 완화해 1차 충돌에서 오는 치명적인 부상을 피할 수 있게 해준다.

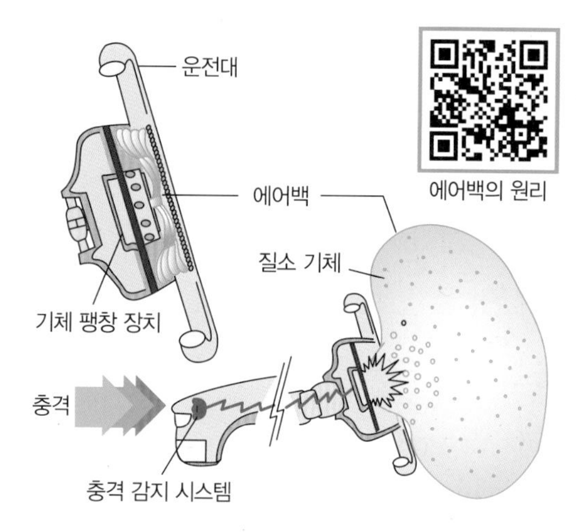

에어백의 원리

1 안전띠는 자동차 사고 시 탑승자를 좌석에 묶어두어 치명적인 피해를 줄여주지만, 머리와 목 부위는 다칠 수 있습니다. 안전띠를 보완하기 위해 도입된 에어백의 원리를 적어보세요.

용어 풀이

- **탑승자(탈 搭, 탈 乘, 사람 者)** 차에 타고 있는 사람
- **유효(있을 有, 나타낼 效)** 효과가 있음
- **속도(빠를 速, 정도 度)** 물체의 빠르기
- **모듈(module)** 부품들을 모아 어떠한 기능을 하도록 만든 장치
- **롤러(roller)** 둥근 회전판
- **관성(익숙할 慣, 성질 性)** 물체가 외부로부터 힘을 받지 않을 때, 멈추어 있는 물체는 계속 멈추어 있고 운동하던 물체는 같은 속도로 운동하려는 성질
- **질소(막을 窒, 원소 素)** 공기 중의 78 %를 차지하는 무색 · 무미 · 무취의 기체
- **범퍼(bumper)** 충돌 사고 발생 시 충격을 완화하기 위하여 자동차의 앞과 뒤에 설치한 장치

2 자동차의 앞 범퍼는 사고 시 자동차가 받는 충격을 흡수하기 위해 만들어진 부분입니다. 요즘은 안전을 위해 자동차의 앞 범퍼 모양을 앞으로 튀어나오지 않도록 납작하게 만듭니다. 앞 범퍼를 납작하게 만들면 자동차와 충돌한 보행자의 피해를 줄일 수 있기 때문입니다. 그 이유를 적어보세요.

▲ 튀어나온 앞 범퍼

▲ 납작한 앞 범퍼

손에 잡히는 STEAM

보행자가 자동차와 충돌하면 자동차의 어떤 부분에 부딪히나요?

▼

충격을 받는 면적과 가해지는 힘은 어떤 관계가 있나요?

▼

납작한 앞 범퍼가 자동차와 충돌한 보행자의 피해를 줄일 수 있는 이유는 무엇인가요?

논술형

3 충격량은 가해진 힘의 크기에 충돌한 시간을 곱한 값입니다. 자동차가 부딪쳤을 때 가해진 힘의 크기는 일정하므로, 충격을 적게 받으려면 충돌 시간을 길게 하여 충격량을 줄여 주어야 합니다. 에어백은 이 원리를 이용합니다. 우리 주위에서 이 원리를 이용한 경우를 세 가지 적어보세요.

손에 잡히는 STEAM

충격량은 무엇인가요?

▼

가해진 힘의 크기가 같을 때, 충격량을 줄이는 방법은 무엇인가요?

▼

우리 주위에서 충돌 시간을 길게 하여 충격량을 줄이는 원리를 사용하는 경우는 언제인가요?

탐구력 키우기

달리기 시합

지구에서 가장 빠른 우사인 볼트는 100 m를 달리는 데 9초 58이 걸립니다. 우사인 볼트의 속력은 얼마일까요? 자석 인형으로 달리기경기를 하고, 각 인형의 속력을 구해보세요.

준비물

꾸미기 부록(p.105), 경기장 부록(p.107), 동전 모양 자석 4개, 가위, 풀, 줄자, 셀로판테이프, 지우개

탐구 과정

① 경기장 부록을 셀로판테이프로 이어 붙여 경기장을 만든다.
② 출발점과 도착점 조각을 경기장 양 끝에 붙이고, 나머지 조각은 경기장 중간에 붙인다.
③ 지우개와 같은 물체를 이용하여 경기장에 언덕을 만든다.
④ 참가 선수 조각에 자신이 원하는 그림을 그린 후 동전 모양 자석 위에 붙인다.
⑤ 참가 선수 조각을 붙인 동전 자석을 출발점에 놓고 또 다른 동전 모양 자석을 가까이하여 자석 인형을 움직인다.
⑥ 출발점에서 도착점까지 이동하는 데 걸린 시간을 잰다.

주의사항

- 경기장 모양은 자유롭게 만든다.
- 자석 인형이 경기장 밖으로 나가면 시합에서 진다.
- 자석 인형 달리기를 두 번 반복하여 걸린 시간의 평균을 구한다.
- 걸린 시간의 평균 $= \frac{\text{1회 시간} + \text{2회 시간}}{2}$

정답 및 해설
12쪽

1 자석 인형이 경기장에서 움직이는 원리를 적어보세요.

2 자석 인형의 달리기 결과를 표로 정리해보세요.

자석 인형				
1회 걸린 시간(초)				
2회 걸린 시간(초)				
평균 걸린 시간(초)				

3 각 자석 인형의 속력을 구하고, 가장 빠른 인형을 찾아보세요.

STEAM

4 다음은 영화 언스토퍼블(Unstoppable)에 관한 이야기입니다.

이 영화는 2001년 오하이오주에서 발생한 'Crazy 8888' 사건을 바탕으로 만든 영화이다. 8888호 열차는 정비공의 부주의로 기관사 없이 106 km를 시속 100 km로 운행하였다. 이 열차에는 위험물 '몰펜페놀'이 가득 실려 있어 매우 위험한 상황이였다. 31년 차 베테랑 엔지니어와 1년 된 신참 차장이 갖은 노력 끝에 폭주 기관차의 속력을 시속 18 km까지 줄였고 기관차에 올라타 기차를 멈추게 했다.

만약 자신이 이 상황에 처해 있다면 시속 100 km로 달리고 있는 기차의 속력을 줄일 수 있는 방법과 시속 100 km의 속력으로 달리고 있는 기차에 올라탈 수 있는 방법을 각각 적어보세요.

언스토퍼블

Ⅳ 산과 염기

07 용액의 분류
08 산과 염기의 성질

★ 2015 개정 교육과정 교과서

초등 5~6학년 군 :
5학년 2학기 5단원 산과 염기

★ 다른 학년과의 연계

중학교 1~3학년 군 : 화학 반응의 규칙과 에너지 변화

지시약을 이용한

07 용액의 분류

개념 더하기

● **관찰 방법**
- **시각** : 안전을 위해 보안경을 쓰고 용액의 색깔을 관찰할 때는 뒷면에 흰 종이를 대고 관찰한다.
- **후각** : 성질을 모르는 물질에 함부로 코를 직접 대고 냄새를 맡지 않는다. 손으로 물질에서 바람을 일으켜 코에 이르게 하는 방식으로 냄새를 맡는다.
- **청각** : 큰 소리를 가까이에서 듣지 않는다.
- **미각** : 먹어도 되는 물질이 확실한 경우에만 맛을 본다. 유리 막대에 액체를 묻히고 거름종이에 액체를 묻힌 후 혀끝으로 맛을 본 다음 물로 헹군다.
- **촉각** : 성질을 모르는 물질을 함부로 만지지 않는다.

● **용액을 분류하기 전 가장 먼저 해야 할 일**

용액을 관찰하여 공통점과 차이점을 찾아야 한다.

용어 풀이

분류(나눌 分, 무리 類)
어떤 물체를 관찰한 것을 바탕으로 공통점과 차이점을 찾아낸 후 기준을 세워 무리 짓는 활동

ⓐ 식초 ⓑ 유리 세정제 ⓒ 석회수

1 여러 가지 용액 분류하기

1. 여러 가지 용액 관찰하기

용액	색깔	투명한 정도	냄새	거품(3초 유지)
ⓐ______	연한 노란색	투명함	냄새가 남	거품이 생기지 않음
레몬즙	연한 노란색	불투명함	냄새가 남	거품이 생기지 않음
ⓑ______	연한 푸른색	투명함	냄새가 남	거품이 생김
사이다	무색	투명함	냄새가 남	거품이 생기지 않음
빨랫비누 물	하얀색	불투명함	냄새가 남	거품이 생김
ⓒ______	무색	투명함	냄새가 나지 않음	거품이 생기지 않음
묽은 염산	무색	투명함	냄새가 남	거품이 생기지 않음
묽은 수산화 나트륨 용액	무색	투명함	냄새가 나지 않음	거품이 생기지 않음

2. 용액을 분류하기 위한 기준

① 색깔이 있는 용액과 색깔이 없는 용액

② 투명한 용액과 불투명한 용액

③ 냄새가 나는 용액과 냄새가 나지 않는 용액

④ 흔들었을 때 거품이 3초 이상 유지되는 용액과 그렇지 않은 용액

★ 더 알아보기 분류 시 유의 사항

① 분류 기준이 객관적이어야 한다. 잘못된 분류 : 예쁜 것과 예쁘지 않은 것

② 분류 기준이 명확해야 한다. 잘못된 분류 : 크기가 큰 것과 작은 것

③ 분류된 것이 서로 중복되지 않아야 한다.
잘못된 분류 : 삼각형과 노란색인 것

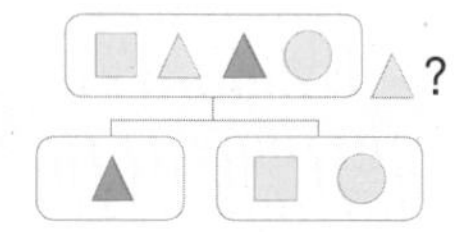

④ 분류 결과를 모았을 때 전체와 일치해야 한다.
잘못된 분류 : 세모와 네모인 것

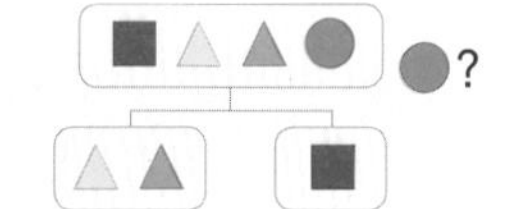

3. 여러 가지 용액 분류하기

분류 기준 : 색깔이 있는가?		분류 기준 : 투명한가?	
그렇다.	아니다.	그렇다.	아니다.
식초, 레몬즙, 유리 세정제, 빨랫비누 물	사이다, 석회수, 묽은 염산, 묽은 수산화 나트륨 용액	식초, 사이다, 유리 세정제, 석회수, 묽은 염산, 묽은 수산화 나트륨 용액	레몬즙, 빨랫비누 물

① 겉보기 성질만으로 용액을 분류할 때 어려운 점

- 무색이고 투명한 용액은 분류하기 어렵다.
- 용액의 냄새를 맡을 수 없는 경우에는 분류하기 어렵다.

2 지시약을 이용한 용액의 분류

1. 지시약

① ⓐ______

- 어떤 물질을 만났을 때 그 물질의 성질에 따라 눈에 띄는 변화가 나타나는 물질
- 물질의 성질을 알아볼 수 있고 여러 가지 용액을 효과적으로 분류할 수 있다.

② 종류 : 붉은색 리트머스 종이, 푸른색 리트머스 종이, 페놀프탈레인 용액

2. 지시약을 떨어뜨렸을 때 용액의 색깔 변화

지시약	붉은색 리트머스 종이	푸른색 리트머스 종이	페놀프탈레인 용액
식초	변화 없음	ⓓ______색	변화 없음
레몬즙	변화 없음	붉은색	변화 없음
유리 세정제	ⓑ______색	변화 없음	붉은색
사이다	변화 없음	붉은색	변화 없음
빨랫비누 물	푸른색	변화 없음	붉은색
석회수	푸른색	변화 없음	ⓕ______색
묽은 염산	변화 없음	ⓔ______색	변화 없음
묽은 수산화나트륨 용액	ⓒ______색	변화 없음	붉은색

개념 더하기

● 리트머스 종이 사용법

- 유리 막대로 각 용액을 찍고 리트머스 종이에 묻힌 후 색깔 변화를 관찰한다.
- 점적병으로 리트머스 종이에 직접 각 용액을 한 방울 떨어뜨린 후 색깔 변화를 관찰한다.

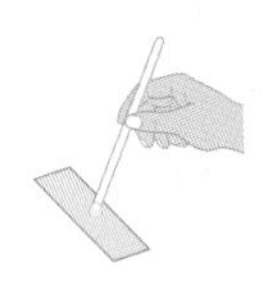
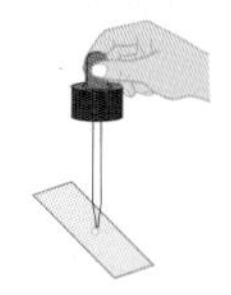

● 페놀프탈레인 용액 사용법

홈판에 각 용액을 $\frac{1}{3}$씩 넣고 페놀프탈레인 용액을 한두 방울씩 떨어뜨린 후 색깔 변화를 관찰한다.

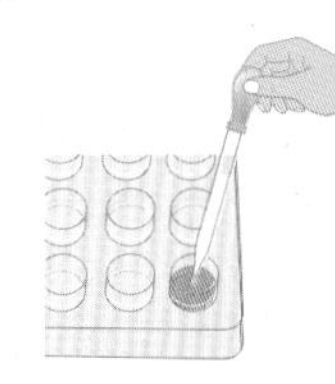

용어 풀이

지시약(가리킬 指, 보일 示, 약 藥)
일정한 상태를 판별하는 데 사용되는 시약으로 산염기 지시약이 대표적이다.

정답

ⓐ 지시약 ⓑ 푸른 ⓒ 푸른
ⓓ 붉은 ⓔ 붉은 ⓕ 붉은

07 용액의 분류

개념 더하기

● **페놀프탈레인 용액을 떨어뜨렸을 때 색깔 변화**

염기성 용액에 페놀프탈레인 용액을 떨어뜨리면, 용액 자체의 색깔이 변하는 것이 아니라 페놀프탈레인 용액의 색깔만 변한다.

● **알칼리성 이온 음료는 산성 용액**

알칼리성(염기성) 이온 음료는 푸른 리트머스 종이를 붉게 변화시키는 산성 용액이다. 식품의 산성과 알칼리성(염기성)은 용액 자체의 성질이 아니라 식품을 태운 후 남는 재를 물에 녹였을 때의 성질이 무엇인가에 따라 판단한다. 알칼리성 이온 음료는 그 자체가 염기성이 아니라 우리 몸속에서 염기성의 성질을 갖는다는 의미이다.

용어 풀이

- **산성(신 맛 酸, 성질 性)**
  물에 녹아 신맛이 나며, 푸른색 리트머스 종이를 붉은색으로 변하게 하는 성질을 가진 물질
- **염기성(소금 鹽, 기본 基, 성질 性)**
  만지면 미끌미끌하며, 붉은색 리트머스 종이를 푸른색으로 변하게 하는 성질을 가진 물질

정답

ⓐ 붉은 ⓑ 푸른 ⓒ 붉은 ⓓ 산 ⓔ 염기

3. 지시약을 이용한 용액의 분류

① 리트머스 종이의 색깔 변화에 따른 용액의 분류

구분	푸른색 → ⓐ ______ 색	붉은색 → ⓑ ______ 색
용액	식초, 레몬즙, 사이다, 묽은 염산	유리 세정제, 빨랫비누 물, 석회수, 묽은 수산화 나트륨 용액

② 페놀프탈레인 용액의 색깔 변화에 따른 용액의 분류

구분	변화 없음	ⓒ ______ 색
용액	식초, 레몬즙, 사이다, 묽은 염산	유리 세정제, 빨랫비누 물, 석회수, 묽은 수산화 나트륨 용액

③ 산성 용액과 염기성 용액

구분	ⓓ ______ 성 용액	ⓔ ______ 성 용액
리트머스 종이	푸른색 → 붉은색	붉은색 → 푸른색
페놀프탈레인 용액	변화 없음	붉은색으로 변함
용액	식초, 레몬즙, 사이다, 묽은 염산	유리 세정제, 빨랫비누 물, 석회수, 묽은 수산화 나트륨 용액

4. 자주색 양배추 지시약으로 용액 분류

★탐구 자주색 양배추 지시약으로 용액 분류하기

탐구 과정

① 자주색 양배추를 가위로 잘라 비커에 담는다.
② 자주색 양배추가 잠길 정도로 뜨거운 물을 붓는다.
③ 자주색 양배추를 우려낸 용액을 충분히 식혀 거른다.
④ 점적병에 담긴 용액을 24홈판에 $\frac{1}{3}$씩 넣는다.
⑤ 자주색 양배추 지시약을 각 홈에 두세 방울 떨어뜨린 후 색깔 변화를 관찰한다.

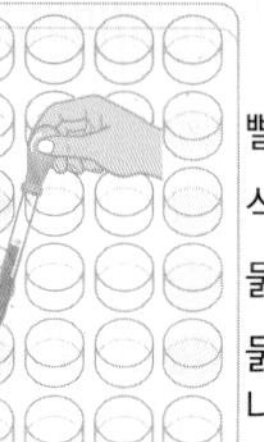

탐구 결과 및 결론

① 자주색 양배추 지시약을 두세 방울 떨어뜨린 뒤 색깔 변화

용액	식초	레몬즙	유리 세정제	사이다	빨랫비누 물	석회수	묽은 염산	묽은 수산화 나트륨 용액
색깔 변화	붉은색	붉은색	푸른색	선홍색	연푸른색	연푸른색	붉은색	노란색

② 자주색 양배추 지시약의 색깔 변화를 바탕으로 용액 분류하기

색깔 변화	용액
ⓐ______ 색 계열	식초, 레몬즙, 사이다, 묽은 염산
ⓑ______ 색이나 노란색 계열	유리 세정제, 빨랫비누 물, 석회수, 묽은 수산화 나트륨 용액

③ 자주색 양배추 지시약의 색깔 변화를 바탕으로 용액을 분류한 결과와 리트머스 종이와 페놀프탈레인 용액의 색깔 변화를 이용해 용액을 분류한 결과가 서로 ⓒ______ 한다.

5. 지시약 색깔 변화와 용액의 성질

색깔 변화	산성 용액	염기성 용액
리트머스 종이	푸른색 → 붉은색	붉은색 → 푸른색
페놀프탈레인 용액	변화 없음	붉은색
자주색 양배추 지시약	붉은색 계열	푸른색이나 노란색 계열

6. 천연 지시약으로 협동화 그리기

① **천연 지시약 재료** : 자주색 양배추, 장미꽃, 비트, 검은콩, 포도 껍질, 가지 껍질 등

② **천연 지시약 만드는 방법**

- 천연 재료를 잘게 자른 뒤 헝겊으로 짜서 즙을 만든다.
- 천연 재료를 잘게 자른 뒤 뜨거운 물을 부어 우러나면 체로 거른다.

③ **천연 지시약 협동화** : 여러 가지 용액을 24홈판에 담고 천연 지시약을 한 방울씩 떨어뜨리며 색깔 변화를 관찰한 후 지시약 색깔 변화를 바탕으로 협동화를 그린다.

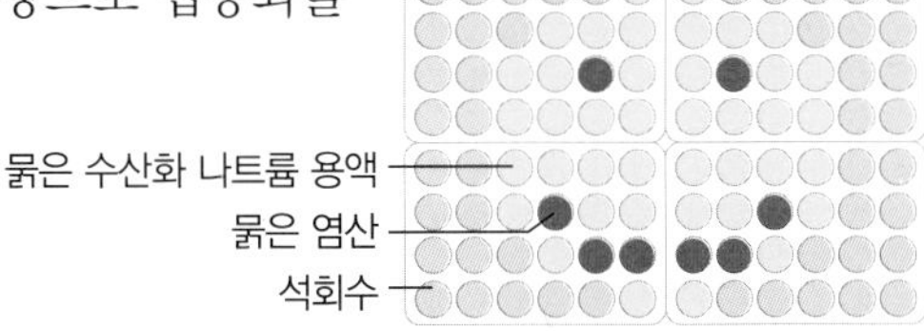

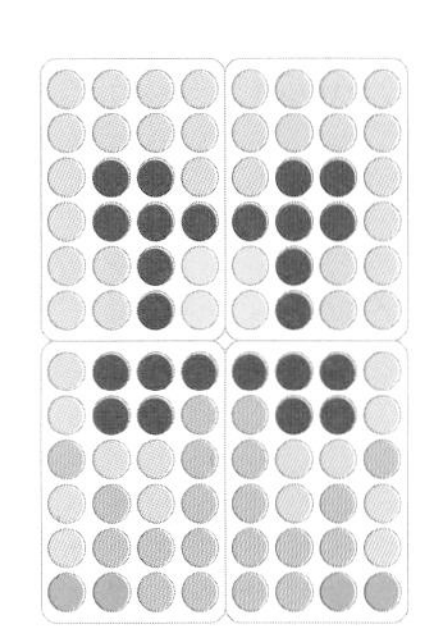

● **자주색 양배추 지시약의 색깔 변화**

- 산성 용액에서는 붉은색 계열을 나타낸다.
- 염기성 용액에서는 푸른색 계열을 나타내고, 염기성이 강하면 노란색을 나타낸다.

← 산성이 강함　　염기성이 강함 →

- 오래 두면 공기 중 산소에 의해 성질이 변해 색깔 변화가 정확하게 나타나지 않을 수 있으므로, 바로 만들어서 사용하는 것이 좋다.

● **천연 지시약**

천연 지시약으로 활용할 수 있는 재료에는 안토시아닌 색소가 들어 있다. 이 색소는 산성 용액에서는 붉은색 계열로, 염기성 용액에서는 푸른색 계열로 변한다.

용어 풀이

비트
빨간 무

정답

ⓐ 붉은 ⓑ 푸른 ⓒ 일치

개념기르기

01 다음 중 용액을 분류하는 기준으로 옳지 않은 것은 어느 것입니까? ( )

① 용액의 냄새
② 용액의 색깔
③ 용액의 점성
④ 용액의 투명한 정도
⑤ 용액을 담고 있는 그릇의 모양

02 다음 〈보기〉 중 비커에 담긴 용액을 관찰하는 방법에 대한 설명으로 옳은 것을 모두 고른 것은 어느 것입니까? ( )

보기
㉠ 손으로 바람을 일으켜 냄새를 맡는다.
㉡ 맛을 볼 때에는 용액을 조금 마신다.
㉢ 비커 뒤에 흰 종이를 대고 색깔을 관찰한다.
㉣ 용액이 묻었을 경우 즉시 물로 깨끗이 씻는다.

① ㉠, ㉡ ② ㉠, ㉢ ③ ㉠, ㉣
④ ㉠, ㉡, ㉢ ⑤ ㉠, ㉢, ㉣

03 다음과 같이 용액을 분류한 기준으로 알맞은 것은 어느 것입니까? ( )

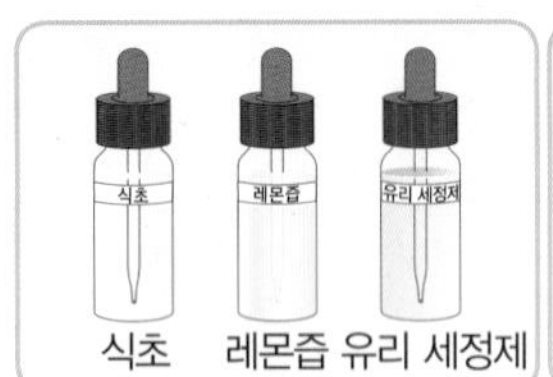

① 색깔이 있는 것과 색깔이 없는 것
② 먹을 수 있는 것과 먹을 수 없는 것
③ 단맛이 나는 것과 단맛이 나지 않는 것
④ 신맛이 나는 것과 신맛이 나지 않는 것
⑤ 냄새가 나는 것과 냄새가 나지 않는 것

04 다음과 같이 용액을 분류할 때 투명한 용액으로 분류할 수 있는 것을 모두 고르세요. (.)

투명한 용액	불투명한 용액
식초, 사이다, 유리 세정제, 묽은 염산	레몬즙, 빨랫비누 물

① 물 ② 우유 ③ 흙탕물
④ 소금물 ⑤ 오렌지 주스

05 다음과 같이 용액을 분류한 기준으로 알맞은 것은 어느 것입니까? ( )

식초, 레몬즙, 사이다	유리 세정제, 석회수, 수산화 나트륨 용액

① 단맛인 것과 신맛인 것
② 짠맛인 것과 쓴맛인 것
③ 색깔이 있는 것과 색깔이 없는 것
④ 먹을 수 있는 것과 먹을 수 없는 것
⑤ 흔들었을 때 거품이 3초 동안 유지되는 것과 유지되지 않는 것

06 다음 용액을 붉은색 리트머스 종이에 떨어뜨렸을 때 푸른색으로 변하는 것을 모두 고르세요. (,)

① 식초 ② 레몬즙 ③ 사이다
④ 빨랫비누 물 ⑤ 석회수

07 다음 용액 중 페놀프탈레인 용액을 떨어뜨렸을 때 색깔 변화가 나머지 넷과 다른 것은 어느 것입니까? (   )

① 석회수 ② 묽은 염산
③ 빨랫비누 물 ④ 유리 세정제
⑤ 묽은 수산화 나트륨 용액

08 다음 중 푸른색 리트머스 종이에 떨어뜨렸을 때 색깔 변화가 같게 나타나는 용액끼리 옳게 짝지어진 것은 어느 것입니까? (   )

① 식초, 유리 세정제
② 식초, 빨랫비누 물
③ 빨랫비누 물, 사이다
④ 사이다, 묽은 염산
⑤ 사이다, 묽은 수산화 나트륨 용액

중요

09 다음 중 지시약을 이용한 용액의 분류에 대한 설명으로 옳은 것은 어느 것입니까? (   )

① 식초는 붉은색 리트머스 종이를 푸른색으로 변화시킨다.
② 사이다에 페놀프탈레인 용액을 떨어뜨리면 붉은색으로 변한다.
③ 유리 세정제는 붉은색 리트머스 종이를 푸른색으로 변화시킨다.
④ 묽은 염산에 자주색 양배추 지시약을 떨어뜨리면 푸른색으로 변한다.
⑤ 묽은 수산화 나트륨 용액에 자주색 양배추 지시약을 떨어뜨리면 푸른색으로 변한다.

10 다음은 여러 가지 용액에 자주색 양배추 지시약을 떨어뜨렸을 때 색깔 변화를 나타낸 것입니다. 색깔이 다르게 나타나는 이유로 알맞은 것은 어느 것입니까? (   )

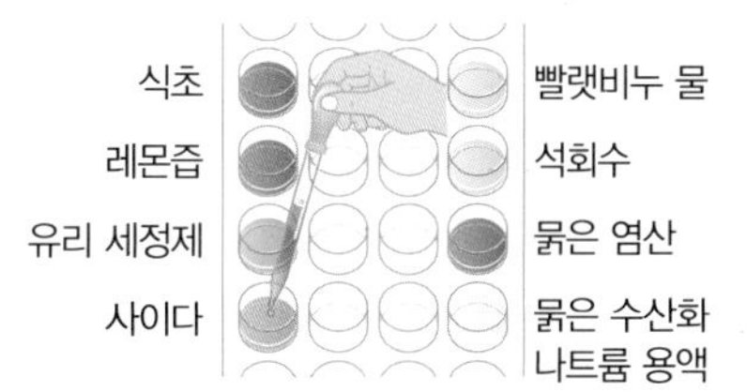

① 용액의 색깔이 다르기 때문이다.
② 용액의 무게가 다르기 때문이다.
③ 용액의 냄새가 다르기 때문이다.
④ 용액의 점성이 다르기 때문이다.
⑤ 용액의 산의 세기가 다르기 때문이다.

11 24홈판을 4개를 붙인 후 여러 가지 용액과 자주색 양배추 지시약을 이용하여 다음과 같이 웃는 얼굴을 만들었습니다. 눈과 입을 그리기 적당한 용액으로 옳은 것을 모두 고르세요. (.)

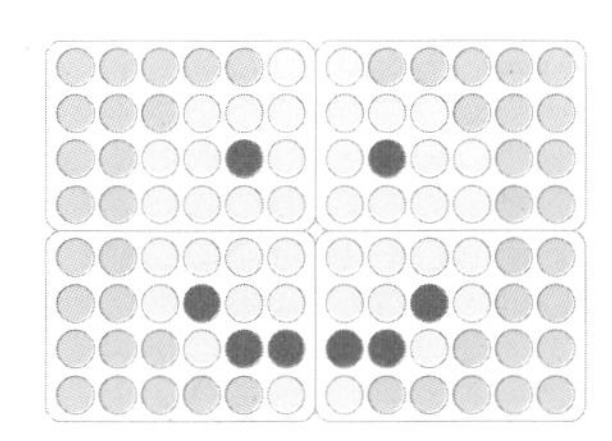

① 식초 ② 석회수 ③ 묽은 염산
④ 빨랫비누 물 ⑤ 묽은 수산화 나트륨 용액

12 다음 중 천연 지시약을 만들 수 없는 식물을 모두 고르세요. (,)

① 벼 ② 장미 ③ 상추
④ 검은콩 ⑤ 자주색 양배추

서술형으로 다지기

손에 잡히는 문제 해결

다섯 가지 용액의 특징은 무엇인가요?

▼

다섯 가지 용액의 공통점과 차이점은 무엇인가요?

▼

색깔 외 다른 공통점은 무엇인가요?

01 다음 다섯 가지 용액을 주어진 분류 기준에 따라 분류하고, 이들 용액을 분류할 수 있는 또 다른 기준을 한 가지 더 적어보세요.

(1) 주어진 분류 기준에 따라 용액 분류하기

색깔이 있는 용액	색깔이 없는 용액

(2) 용액을 분류할 수 있는 또 다른 분류 기준 :

손에 잡히는 문제 해결

리트머스 종이와 페놀프탈레인 용액을 여러 가지 용액에 넣었을 때 각각의 색깔은 어떻게 변하나요?

▼

리트머스 종이와 페놀프탈레인 용액의 공통점은 무엇인가요?

▼

공통점을 통해 알 수 있는 것은 무엇인가요?

02 리트머스 종이와 페놀프탈레인 용액은 용액의 성질에 따라 색깔이 변합니다. 이처럼 색깔 변화로 용액의 성질을 구분할 수 있는 물질을 무엇이라고 하는지 쓰고, 어떤 경우에 사용하는지 적어보세요.

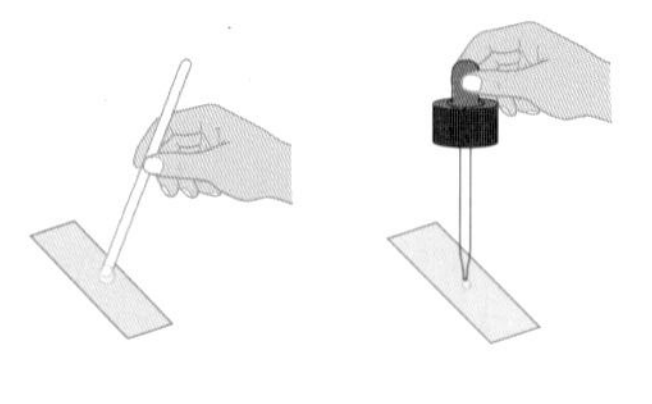

정답 및 해설
14쪽

03 다음은 여러 가지 용액에 페놀프탈레인 용액을 떨어뜨렸을 때 색깔 변화를 나타낸 것입니다. 아래 용액을 산성 용액과 염기성 용액으로 분류하고, 그렇게 생각한 이유를 적어보세요.

(1) 산성 용액과 염기성 용액으로 분류하기

산성 용액	염기성 용액

(2) 그렇게 생각한 이유 :

손에 잡히는 문제 해결

페놀프탈레인 용액은 산성 용액과 염기성 용액에서 색깔이 어떻게 변하나요?

페놀프탈레인 용액을 떨어뜨렸을 때 색깔 변화가 없는 용액은 무엇인가요?

페놀프탈레인 용액을 떨어뜨렸을 때 붉은색으로 변하는 용액은 무엇인가요?

04 3개의 비커에 무색투명한 액체 A, B, C가 담겨 있습니다. 실험 결과를 바탕으로 각 액체의 이름과 그렇게 생각한 이유를 적어보세요.

보기

- 3가지 액체는 각각 물, 묽은 염산, 묽은 수산화 나트륨 용액이다.
- 각 용액에 페놀프탈레인 용액을 떨어뜨렸을 때 A와 C는 색깔 변화가 없고 B만 붉게 변했다.
- 푸른색 리트머스 종이에 각 용액을 묻히면 A와 B는 색깔 변화가 없고 C만 붉게 변했다.

손에 잡히는 문제 해결

페놀프탈레인 용액의 특징은 무엇인가요?

푸른색 리트머스 종이의 특징은 무엇인가요?

지시약의 색깔 변화에 영향을 주는 요인은 무엇인가요?

융합사고력 키우기

STEAM
- ✓ Science
  - ▶ 산과 염기
- ✓ Technology
  - ▶ 안토시아닌 색소
- ✓ Engineering
  - ▶ 천연 지시약
- Art
- Mathematics

색이 바뀌는 꽃, 수국

수국은 여름에 꽃이 피는 가장 유명한 꽃 중 하나이다. 부산 '태종사'에서는 여름마다 수국 축제가 열리고, 많은 시민들이 수국 축제를 즐기기 위해 태종사를 찾는다. 수국은 분홍색, 붉은색, 보라색, 푸른색 등 다양한 색을 띤다. 수국의 색은 '델피니딘'이라는 안토시아닌 색소에 의해 결정된다. 수국이 처음 필 때는 흰색 또는 연한 노란색이다. 하지만 알루미늄이 많은 강한 산성 토양(pH 4~6)에서는 델피니딘이 알루미늄 이온과 결합하여 푸른색이 되고, 알루미늄이 부족한 약한 산성 토양(pH 6~7)에서는 델피니딘이 알루미늄과 잘 결합하지 못하여 분홍색이나 붉은색이 된다. 염기성 토양(pH 7.4 이상)에서는 잘 자라지 못한다. 수국은 꽃이 펴서 질 때까지 주변 환경에 따라 색이 변해서 '칠면화(七面花)'라고도 불린다.
수국의 색은 토양의 산의 세기와 알루미늄 농도에 의해 결정된다. 수국 주위에 백반을 묻어 두고 물을 주면 백반이 녹으면서 토양이 강한 산성을 띠고 알루미늄이 많아져 흰색이던 꽃 색깔이 푸른색으로 변한다. 달걀 껍데기나 석고 가루를 뿌리고 물을 주면 토양의 산성이 약해지므로 꽃이 붉은색으로 변한다. 수국은 마치 살아 있는 리트머스 시험지와 같다.

수국

1 수국이 다양한 색으로 변하는데 영향을 주는 색소는 무엇인가요?

•

용어 풀이

- **안토시아닌**
  꽃이나 과실 등에 포함된 색소로, 산의 세기에 따라 여러 가지 색을 띤다
- **pH(피에이치)**
  물질이 가지고 있는 산의 세기를 의미한다. pH가 7보다 작으면 산성, 7보다 크면 염기성으로 분류한다.

정답 및 해설 15쪽

2 라일락꽃, 도라지꽃, 수국은 천연 지시약이라 할 수 있습니다. 이런 꽃들이 환경에 따라 색이 변하는 이유를 적어보세요.

▲ 라일락꽃

▲ 도라지꽃

▲ 수국

손에 잡히는 STEAM

천연 지시약이 될 수 있는 식물의 공통점은 무엇인가요?

▼

꽃의 색이 변하는 이유는 무엇인가요?

▼

토양을 이루는 어떤 성분이 꽃의 색에 변화를 주었나요?

논술형

3 천연 지시약을 만들어 우리 생활에 이용하려고 합니다. 천연 지시약을 활용할 수 있는 아이디어를 적어보세요.

손에 잡히는 STEAM

천연 지시약은 어떤 특징이 있나요?

▼

인체에 해롭지 않게 지시약을 이용해야 경우는 언제인가요?

▼

지시약을 물건으로 만들어 이용하는 경우는 언제인가요?

물질의 변화로 알아보는

08 산과 염기의 성질

1 산성 용액과 염기성 용액의 성질

1. 산성 용액과 염기성 용액의 성질

구분	산성 용액-묽은 염산	염기성 용액-묽은 수산화 나트륨 용액
달걀 껍데기, 대리석 조각	• ⓐ______서 사라진다. • ⓑ______가 발생한다. → 이산화 탄소	변화가 없다.
삶은 달걀흰자, 두부	변화가 없다.	• 흐물흐물해진다. • 뿌옇게 흐려진다.

▲ 묽은 염산 +달걀 껍데기

▲ 묽은 염산 +대리석 조각

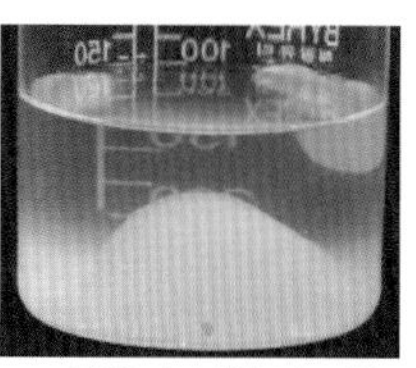
▲ 묽은 수산화 나트륨 용액+삶은 달걀흰자

▲ 묽은 수산화 나트륨 용액+두부

2. 산성 용액에 의한 현상

① **대리석 조각** : 산성비와 새의 배설물과 같은 산성 물질에 의해 부식되어 정교한 조각이 단순해진다.

② **원각사지 십층 석탑** : 산성비와 새의 배설물과 같은 ⓒ____성 물질에 의해 훼손되는 것을 막기 위해 유리 보호 장치를 했다.

▲ 1908년 모습

▲ 1969년 모습

▲ 원각사지 십층 석탑

★더 알아보기 산과 염기의 성질

① 산
- 산의 묽은 수용액은 신맛이 난다.
- 철과 같은 금속과 반응하여 수소 기체를 발생시킨다.
- 탄산 칼슘과 반응하여 이산화 탄소 기체를 발생시킨다.
- 수용액에서 전류가 흐른다.
- 식초, 염산, 황산, 질산, 사이다 등

② 염기
- 염기의 묽은 수용액은 쓴맛이 난다.
- 단백질을 녹이는 성질이 있어 손에 닿으면 미끈거린다.
- 수용액에서 전류가 흐른다.
- 수산화 나트륨, 암모니아수 등

개념 더하기

● 탄산 칼슘
달걀 껍데기, 대리석, 석회암, 시멘트, 분필 등에 들어 있는 물질로, 무색의 결정 또는 흰색의 고체이다. 산성 용액과 만나면 이산화 탄소를 발생시키며 녹는다.

용어 풀이

- **대리석(큰 大, 다스릴 理, 돌 石)** 석회암이 높은 온도와 강한 압력을 받아서 변한 돌로 건축, 조각, 장식용으로 쓰인다.
- **산성(신 맛 酸, 성질 性)비** 대기오염이 심한 지역에서 내리는 비로 일반적인 빗물보다 산성이 강하다.
- **원각사지 십층 석탑** 조선 시대에 만들어진 대리석 석탑

정답

ⓐ 녹아 ⓑ 기포 ⓒ 산

2 산성 용액과 염기성 용액의 혼합

1. 산성 용액과 염기성 용액이 만났을 때 지시약의 색깔 변화

탐구 산성 용액과 염기성 용액을 섞을 때 지시약의 색깔 변화

탐구 과정

① 삼각 플라스크에 묽은 염산 20 mL를 넣고 자주색 양배추 지시약을 열 방울 떨어뜨린다.
② ①의 삼각 플라스크에 묽은 수산화 나트륨 용액을 5 mL씩 여섯 번 넣으면서 색깔 변화를 관찰한다.
③ 묽은 수산화 나트륨 용액과 묽은 염산을 바꿔 같은 방법으로 실험한다.

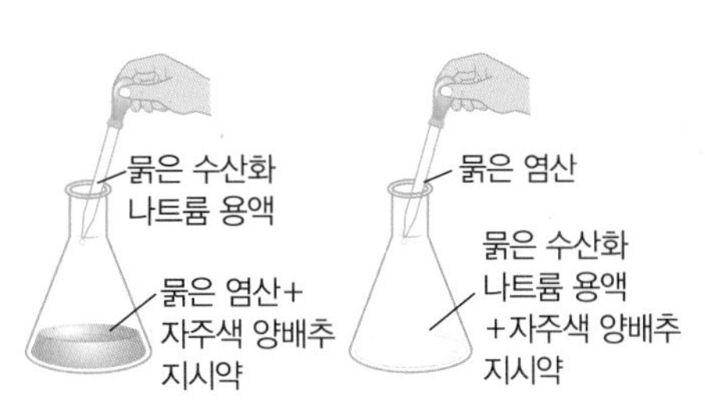

탐구 결과 및 결론

① 묽은 염산에 묽은 수산화 나트륨 용액을 넣을수록 지시약의 색이 붉은색에서 분홍색, 보라색을 거쳐 ⓐ______색으로 변한다.

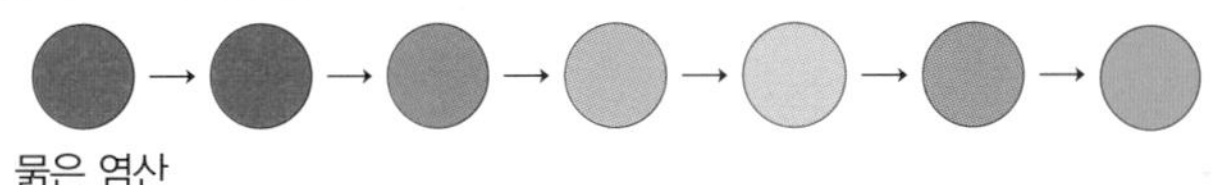

② 산성 용액에 염기성 용액을 넣을수록 산성이 점점 ⓑ______진다.
③ 묽은 수산화 나트륨 용액에 묽은 염산을 넣을수록 지시약의 색이 노란색에서 청록색, 보라색을 거쳐 ⓒ______색으로 변한다.

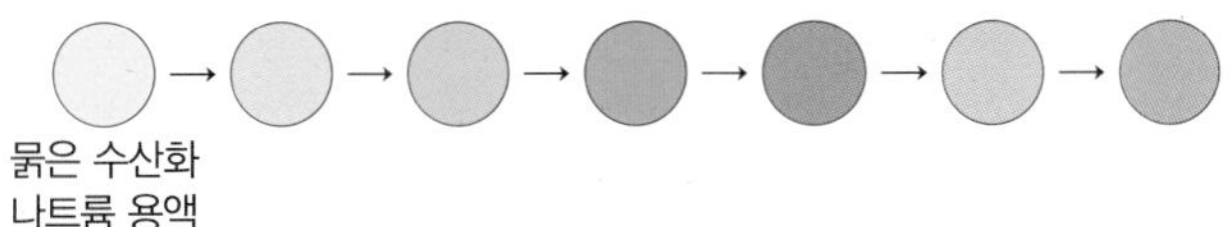

④ 염기성 용액에 산성 용액을 넣을수록 염기성이 점점 ⓓ______진다.

2. 산성 용액과 염기성 용액이 만났을 때의 변화

산성 용액에 염기성 용액을 넣을 때	염기성 용액에 산성 용액을 넣을 때
염기성 용액을 많이 넣을수록 산성이 점점 약해진다. 강한 산성 → 약한 산성 → 중성 → 약한 염기성	산성 용액을 많이 넣을수록 염기성이 점점 약해진다. 강한 염기성 → 약한 염기성 → 중성 → 약한 산성

산성 용액과 염기성 용액을 섞으면 성질이 약해지는 이유 : 산성을 띠는 물질과 염기성을 띠는 물질이 서로 ⓔ____을 맞추면 각각의 성질을 잃어버리기 때문이다.

개념 더하기

● 자주색 양배추 지시약의 색깔 변화
- 산성 용액에서는 붉은색 계열을 나타낸다.
- 염기성 용액에서는 푸른색 계열을 나타내고, 염기성이 강하면 노란색을 나타낸다.

← 산성이 강함 염기성이 강함 →

● 산성 용액과 염기성 용액을 섞으면 산성과 염기성의 세기가 약해지는 이유
- 산성을 띠는 물질과 염기성을 띠는 물질이 짝을 맞춰 중성이 되면 산성과 염기성의 성질이 사라진다.
- 짝을 맞추지 못한 산성을 띠는 물질이 남아 있으면 용액은 산성을 나타내고, 반대로 염기성을 띠는 물질이 남아 있으면 염기성을 나타낸다.

▲ 중성 ▲ 염기성 ▲ 산성

- 짝을 맞추지 못하고 혼자 남아 있는 물질이 많을수록 남아 있는 물질의 성질이 강해진다.

▲ 강한 산성

▲ 약한 산성

정답
ⓐ 초록 ⓑ 약해 ⓒ 붉은 ⓓ 약해 ⓔ 짝

08 산과 염기의 성질

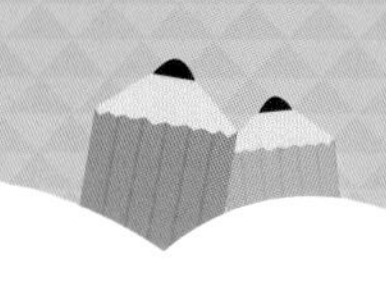

개념 더하기

● **요구르트의 산성**
요구르트는 젖산균(유산균)으로 우유를 발효시켜 만든다. 젖산균이 우유의 당 성분을 발효시켜 젖산을 만들므로 산성이 된다.

● **식초와 빙초산**
식초는 아세트산(빙초산)을 3~5 % 정도로 물에 희석시킨 용액이다. 아세트산과 같이 농도가 진한 산성 용액은 독성이 강하여 위험하지만, 물에 희석해서 묽게 만든 산성 용액은 일상생활에서 사용할 수 있다.

용어 풀이

✓ **제산제(억제할 制, 신 맛 酸, 약 지을 劑)**
위산의 작용을 억제해주는 약

정답
ⓐ 붉은 ⓑ 푸른 ⓒ 붉은
ⓓ 산 ⓔ 염기 ⓕ 산

3 산성 용액과 염기성 용액의 이용

1. 요구르트와 치약의 성질

★탐구 요구르트와 치약의 성질 알아보기

탐구 과정

① 요구르트를 푸른색 리트머스 종이와 붉은색 리트머스 종이에 각각 묻힌 후 색깔 변화를 관찰한다.
② 요구르트에 페놀프탈레인 용액을 떨어뜨린 후 색깔 변화를 관찰한다.
③ 물에 녹인 치약을 푸른색 리트머스 종이와 붉은색 리트머스 종이에 각각 묻힌 후 색깔 변화를 관찰한다.
④ 물에 녹인 치약에 페놀프탈레인 용액을 떨어뜨린 후 색깔 변화를 관찰한다.

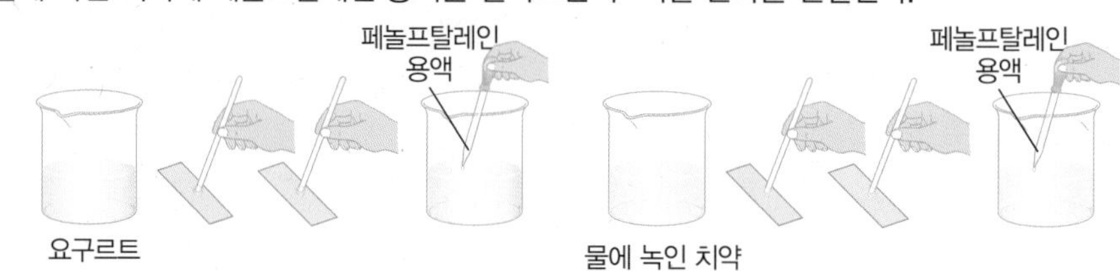

탐구 결과 및 결론

① 리트머스 종이와 페놀프탈레인 용액의 색깔 변화

지시약	리트머스 종이		페놀프탈레인 용액
	붉은색 리트머스	푸른색 리트머스	
요구르트	변화 없음	ⓐ_____색	변화 없음
물에 녹인 치약	ⓑ_____색	변화 없음	ⓒ_____색

② 요구르트는 ⓓ_____성 용액이고, 물에 녹인 치약은 ⓔ_____성 용액이다.
③ 요구르트를 마시면 입안이 산성 환경이 되므로 염기성인 치약으로 양치질을 하면 입안의 ⓕ_____성 환경을 없애 세균 활동을 막을 수 있다.

★더 알아보기 산성도, pH(피에이치)

① 물질이 가지고 있는 산의 세기이다.
② pH가 7이면 중성이고, pH가 7보다 작으면 산성, 7보다 크면 염기성이다.
③ pH가 1에 가까울수록 산의 세기가 세고, 14에 가까울수록 염기성의 세기가 세다.

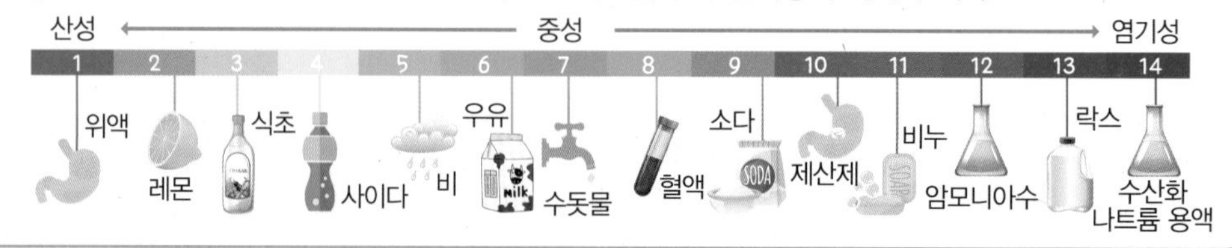

2. 우리 생활에서 산과 염기를 이용하는 경우

이용하는 예	산	염기
오렌지 주스, 사과 주스, 유자차, 커피를 마신다.	과일 주스, 유자차, 커피	
콜라와 사이다를 마신다.	콜라, 사이다	
하수구가 막혔을 때 하수구 세정제를 사용한다.		하수구 세정제
베이킹 소다로 설거지를 한다.		베이킹 소다
비누로 손을 씻거나 빨래를 한다.		비누
유리 세정제로 유리창을 닦는다.		유리 세정제
김치가 시어졌을 때 달걀 껍데기를 넣는다.	신 김치	달걀 껍데기
염산 누출 사고에 소석회를 뿌린다.	ⓐ______	ⓑ______
추수가 끝난 후 논이나 밭에 석회를 뿌린다.	산성화된 논이나 밭	석회
음식을 먹은 후 양치질을 한다.	음식물을 먹은 후 입안	치약
생선을 손질한 도마를 닦을 때 식초를 사용한다.	식초	생선 비린내 성분
변기를 청소할 때 변기용 세제를 사용한다.	변기용 세제	변기의 때
속이 쓰릴 때 제산제를 먹는다.	ⓒ______	ⓓ______
비누로 머리를 감고 식초로 헹군다.	식초	비누

★생활 속 과학 산성비

순수한 물은 중성이지만 빗물은 아무리 깨끗하더라도 산성이다. 정상으로 내리는 비는 pH 5.6~7.0으로 산성이다. 수증기가 응결되어 만들어진 빗방울이 떨어질 때 대기 중에 있던 이산화 탄소가 빗물에 일부 녹아 약한 산인 탄산을 만들기 때문이다.

산성비는 pH 5.6 미만으로 내리는 비이다. 산성비의 원인은 대기 오염 물질이다. 자동차, 특정 산업 공정, 화석 연료를 태우는 발전소 등에서 나오는 이산화 황과 산화 질소 기체가 구름 속의 수증기와 결합하면 황산과 질산을 만들고, 이 구름에서 떨어지는 비는 강한 산성을 띤다. 산성비는 호수를 산성으로 변화시켜 생태계를 파괴하고, 토양을 산성으로 만들어 나무들이 말라죽기도 한다. 또한, 대리석으로 만든 정교한 조각상을 녹이거나 철로 된 다리를 부식시켜 붕괴의 위험을 일으키기도 한다.

▲ 산성비를 맞아 죽은 나무

개념 더하기

● 위산과 제산제

위산은 외부로부터 들어온 세균을 살균하고 단백질을 소화시키기 위해 강한 산성을 띤다. 인체는 강한 산성인 위산에 견디고 몸을 보호하는 장치를 가지고 있는데, 이것이 제 기능을 하지 못하면 위궤양이 생긴다. 이때 염기성 물질인 제산제를 먹으면 위산의 산성이 약해져 통증이 줄어든다.

● 하수구 세정제, 베이킹 소다, 비누, 유리 세정제의 공통점

염기성 용액은 단백질이나 지방을 녹이므로 하수구의 머리카락을 녹이거나 각종 단백질과 기름 때를 청소할 때 사용한다.

● 석회

칼슘을 포함하는 화합물로, 생석회(탄산 칼슘)와 소석회(수산화 칼슘)를 통틀어 석회라고 한다. 석회는 토양의 산성화를 방지하는 좋은 비료이지만, 너무 많이 사용하면 토양이 염기성이 될 수 있으므로 주의해야 한다.

용어 풀이

석회(돌 石, 재 灰)
석회석에 포함된 성분으로 탄산 칼슘이 주성분이다.

정답

ⓐ 염산 ⓑ 소석회 ⓒ 위산 ⓓ 제산제

개념기르기

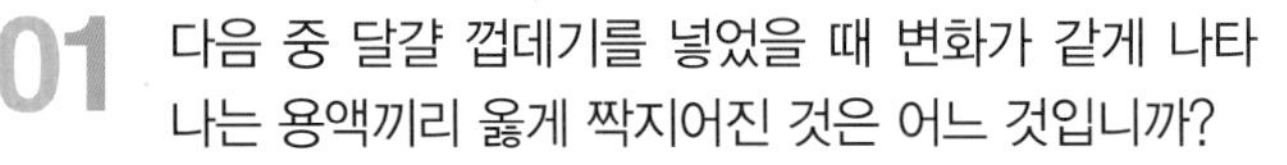

01 다음 중 달걀 껍데기를 넣었을 때 변화가 같게 나타나는 용액끼리 옳게 짝지어진 것은 어느 것입니까? ( )

① 식초, 유리 세정제
② 식초, 빨랫비누 물
③ 빨랫비누 물, 사이다
④ 사이다, 묽은 염산
⑤ 사이다, 묽은 수산화 나트륨 용액

02 다음 〈보기〉 중 대리석을 넣었을 때 아무런 변화가 없는 용액을 모두 고른 것은 어느 것입니까? ( )

보기
㉠ 식초　　㉡ 사이다
㉢ 석회수　　㉣ 유리 세정제

① ㉠, ㉡　② ㉠, ㉢　③ ㉠, ㉣
④ ㉡, ㉢　⑤ ㉢, ㉣

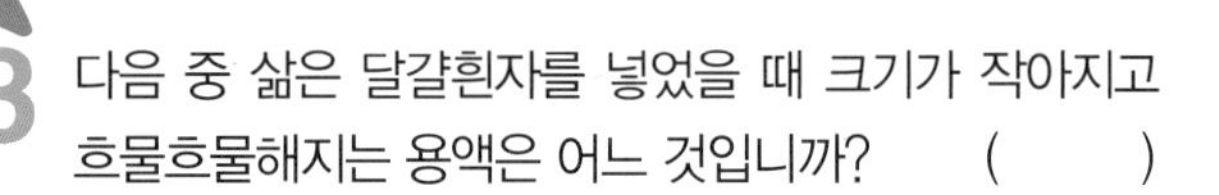

중요

03 다음 중 삶은 달걀흰자를 넣었을 때 크기가 작아지고 흐물흐물해지는 용액은 어느 것입니까? ( )

① 식초　② 레몬즙　③ 사이다
④ 묽은 염산　⑤ 묽은 수산화 나트륨 용액

04 다음은 여러 가지 물질의 산성도를 나타낸 것입니다. 산성도를 나타내는 기호는 어느 것입니까? ( )

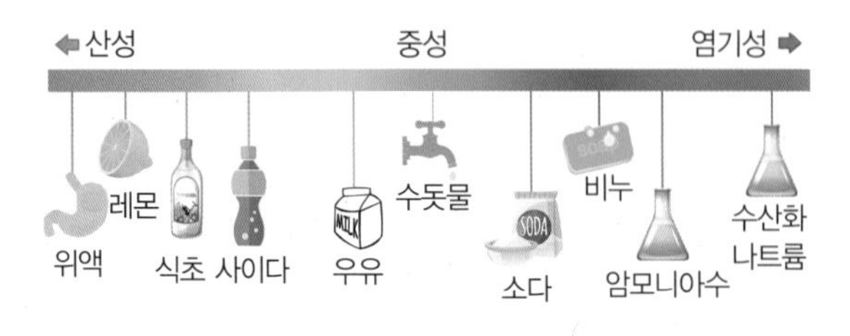

① g　② mL　③ cm
④ cm^3　⑤ pH

[05~06] 다음과 같이 묽은 염산 20 mL에 자주색 양배추 지시약 열 방울을 넣고, 묽은 수산화 나트륨 용액을 5 mL씩 넣으면서 나타나는 변화를 관찰했습니다.

신유형

05 다음 중 위 실험에 대한 설명으로 옳은 것을 모두 고르세요. (,)

① 묽은 수산화 나트륨 용액을 떨어뜨리지 않았을 때는 노란색을 나타낸다.
② 묽은 수산화 나트륨 용액을 많이 떨어뜨릴수록 분홍색, 보라색을 거쳐 청록색으로 변한다.
③ 묽은 수산화 나트륨 용액을 떨어뜨릴수록 산성이 점점 강해진다.
④ 용액의 색이 변하는 것을 통해 용액의 성질이 달라지는 것을 알 수 있다.
⑤ 묽은 수산화 나트륨 용액을 넣은 양에 관계없이 같은 색으로 변한다.

06 다음 중 묽은 염산에 묽은 수산화 나트륨 용액을 계속 넣었을 때 용액의 성질 변화에 대한 설명으로 옳은 것은 어느 것입니까? ( )

① 산성이 점점 약해진다.
② 산성이 점점 강해진다.
③ 염기성이 점점 약해진다.
④ 염기성이 점점 강해진다.
⑤ 용액의 성질에는 아무 변화가 없다.

07 다음 용액 중 자주색 양배추 지시약을 넣은 묽은 수산화 나트륨 용액에 계속 넣었을 때 용액의 색깔을 붉은색으로 변하게 하는 용액은 어느 것입니까? ( )

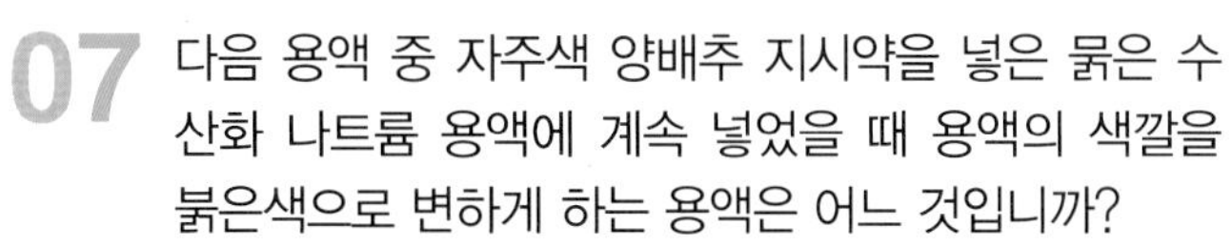

① 석회수 ② 묽은 염산
③ 암모니아수 ④ 빨랫비누 물
⑤ 유리 세정제

08 다음은 산성 용액과 염기성 용액을 섞었을 때 용액의 성질 변화를 관찰하는 실험 결과를 나타낸 것입니다. ㉠ 용액에 대한 설명으로 옳지 않은 것은 어느 것입니까? ( )

> 묽은 염산이 들어 있는 삼각 플라스크에 페놀프탈레인 용액을 넣은 다음, 묽은 수산화 나트륨 용액을 넣었더니 ㉠삼각 플라스크 속 용액이 붉은색으로 바뀌었다.

① 염기성 용액이다.
② 묽은 염산과 산의 세기가 같다.
③ 붉은색 리트머스 종이를 푸른색으로 변화시킨다.
④ 자주색 양배추 지시약을 푸른색으로 변화시킨다.
⑤ 삶은 달걀흰자를 넣으면 흐물흐물해진다.

중요
09 다음 중 우리 생활 속에서 산성 물질을 이용한 경우로 옳은 것은 어느 것입니까? ( )

① 콜라와 사이다를 마신다.
② 유리 세정제로 유리창을 닦는다.
③ 비누로 손을 씻거나 빨래를 한다.
④ 추수가 끝난 논이나 밭에 석회를 뿌린다.
⑤ 음식을 먹은 후 치약으로 양치질을 한다.

10 다음 중 위산이 많이 나와 속이 쓰릴 때 아픔을 줄이는 방법으로 가장 적절한 것은 어느 것입니까? ( )

① 식초를 마신다. ② 사이다를 마신다.
③ 레몬즙을 마신다. ④ 제산제를 먹는다.
⑤ 오렌지 주스를 마신다.

신유형
11 다음은 리트머스 종이와 페놀프탈레인 용액을 이용하여 요구르트와 치약의 성질을 알아본 실험 결과입니다. 이에 대한 설명으로 옳지 않은 것은 어느 것입니까? ( )

> • 요구르트를 푸른색 리트머스 종이에 떨어뜨리면 붉은색으로 변하고, 붉은색 리트머스 종이에 떨어뜨리면 변화가 없다.
> • 물에 녹인 치약에 페놀프탈레인 용액을 떨어뜨리면 붉은색으로 변한다.

① 요구르트는 산성 물질이다.
② 물에 녹인 치약은 염기성 물질이다.
③ 푸른색 리트머스 종이에 물에 녹인 치약을 떨어뜨리면 붉은색으로 변한다.
④ 요구르트를 마시면 입안이 산성 환경이 된다.
⑤ 요구르를 마신 후 치약으로 양치질을 하면 입안의 산성 환경이 약해진다.

12 대리석으로 만들어진 원각사지 십층 석탑에 유리 보호 장치를 한 이유로 옳지 않은 것을 모두 고르세요. (,)

① 대기가 오염되어 산성비가 내리기 때문이다.
② 대기가 오염되어 염기성 비가 내리기 때문이다.
③ 빗물의 pH가 점점 높아지기 때문이다.
④ 대리석이 빗물을 만나면 조금씩 녹기 때문이다.
⑤ 산성비와 새의 배설물과 같은 산성 물질에 의해 훼손되는 것을 막기 위해서이다.

서술형으로 다지기

손에 잡히는 문제 해결

정교한 대리석 조각상의 모습이 알아볼 수 없게 변한 원인은 무엇인가요?

▼

실험에서 같게 해야 하는 조건은 무엇인가요?

▼

실험에서 다르게 해야 하는 조건은 무엇인가요?

01 정교한 대리석 조각상의 모습이 알아볼 수 없게 변한 원인을 알아보기 위해 다음 준비물을 이용하여 실험하려고 합니다. 실험 방법과 예상되는 결과를 적어보세요.

▲ 1908년 모습 ▲ 1969년 모습

〈준비물〉
비커, 대리석 조각, 식초, 유리 세정제, 묽은 염산, 묽은 수산화 나트륨 용액

(1) 실험 방법 :

(2) 예상되는 결과 :

자주색 양배추 지시약은 산성 용액과 염기성 용액에서 어떤 색깔을 띠나요?

▼

묽은 수산화 나트륨 용액의 성질은 무엇인가요?

▼

묽은 염산의 성질은 무엇인가요?

02 염기성 용액에 산성 용액을 넣을 때 용액의 성질이 어떻게 변하는지 알아보기 위해 다음과 같이 실험하였습니다. (가)~(다) 용액의 색깔 변화와 용액의 성질이 어떻게 변하는지 적어보세요.

① 삼각 플라스크에 묽은 수산화 나트륨 용액 20 mL를 넣은 다음 자주색 양배추 지시약 용액을 열 방울 떨어뜨리고 색깔 변화를 관찰한다. → 용액 (가)
② 용액 (가)에 묽은 염산을 5 mL 넣고 용액을 흔든 후 색깔 변화를 관찰한다. → 용액 (나)
③ 용액 (나)에 묽은 염산 용액을 5 mL씩 계속 넣으면서 색깔 변화를 관찰한다. → 용액 (다)

(1) 용액의 색깔 변화

구분	(가)	(나)	(다)
용액의 색깔 변화			

(2) 용액의 성질 변화 :

03 생선 요리는 비린내를 없애기 위해 보통 레몬즙을 뿌려 먹습니다. 생선 요리에 레몬즙을 뿌리는 이유를 레몬즙의 성질과 관련지어 설명하고, 생활 속에서 이와 같은 성질을 이용한 예를 두 가지 적어보세요.

(1) 생선 요리에 레몬즙을 뿌리는 이유 :

(2) 위와 같은 성질을 이용한 예 :

생선 비린내 성분의 성질은 무엇인가요?

레몬즙의 성질은 무엇인가요?

산성 용액과 염기성 용액을 섞어 서로의 성질을 약하게 하는 경우는 어떤 것이 있나요?

04 다음 사진은 바다에 사는 산호의 모습입니다. 바다에 사는 산호는 석회질 성분의 딱딱한 껍데기로 덮여 있고 내부는 부드러운 동물입니다. 산호는 바닷물 속의 이산화 탄소를 흡수하여 바다 생태계를 보호하는 역할을 합니다. 그러나 최근 전 세계 바다에서 산호는 화려한 색깔을 잃고 하얗게 변하면서 죽어가고 있습니다. 산호가 죽는 이유를 적어보세요.

손에 잡히는 문제 해결

산호의 딱딱한 껍데기 성분은 무엇인가요?

바닷물이 이산화 탄소를 흡수하면 바닷물 성질은 어떻게 되나요?

산호가 죽는 이유는 무엇인가요?

융합사고력 키우기

- [x] Science
  - ▶ 산과 염기
- [x] Technology
  - ▶ 호수의 산성화
- [ ] Engineering
- [ ] Art
- [ ] Mathematics

인간이 빚어낸 결과, 호수의 산성화

석탄, 석유 등 화석 연료의 사용은 인류 문명 발전에 있어 가장 커다란 원동력이 되었다. 그러나 대기 오염이라는 뜻하지 않은 문제를 발생시켰다.

우리가 에너지원으로 사용하는 석탄, 석유, 천연가스 등의 화석 연료가 연소되는 과정에서 대량의 황 산화물이나 질소 산화물이 발생하고, 이들이 대기의 수증기와 만나면 황산이나 질산으로 바뀐다. 황산이나 질산이 비와 함께 섞여 내리면 산성비가 된다. 산성비는 강한 산성을 띠고 있어 비의 pH를 낮춘다.

산성비는 토양을 척박하게 만들고, 강이나 호수에 살고 있는 생물들에게 아주 심한 피해를 입힌다. 강이나 호수의 물이 산성으로 변하면 플랑크톤의 수가 줄어들고 먹이 사슬에 영향을 주어 수중 생태계에 문제가 생긴다. pH 4.5 이하인 물에서는 달팽이, 민물 게, 연어, 송어 등이 살지 못한다.

미국 애디론댁 산맥 중 해발 600 m 이상에 분포하는 3,000여 개의 호수 가운데 50 % 이상이 산성화되었고, 그 결과 90 %의 호수에서 물고기가 사라졌다. 캐나다 온타리오주 남부 지역의 약 400개 호수에서도 산성화에 의해 어패류가 멸종되었다. 산성화된 호수를 살리기 위한 비용만 연간 31억 달러 이상이 든다.

1 화석 연료가 연소되는 과정에서 발생한 황 산화물이나 질소 산화물이 대기의 수증기와 만나면 어떤 성질을 가지게 되나요?

용어 풀이

- **연소(탈 燃, 탈 燒)**
  물질이 빛과 열을 내면서 타는 현상
- **황 산화물(노란색 黃, 신 맛 酸, 될 化, 물건 物)**
  석유나 석탄이 연소할 때 생기는 물질
- **질소 산화물(막을 窒, 원소 素, 신 맛 酸, 될 化, 물건 物)**
  산소와 질소로 이루어진 물질
- **황산(노란색 黃,신 맛 酸)**
  강한 산성 물질로 금과 백금을 제외한 대부분의 금속을 녹인다.
- **질산(막을 窒, 신 맛 酸)**
  강한 산성 물질로 폭약을 만드는 데 쓰인다.
- **척박(메마를 瘠, 없을 薄)**
  땅이 기름지지 못하고 메마르다.
- **플랑크톤**
  물속에서 물결에 따라 떠다니는 작은 생물을 통틀어 이르는 말
- **어패류(물고기 魚, 조개 貝, 무리 類)**
  물고기와 조개류

2 현재 우리나라에 내리는 비는 약한 산성이지만 점점 산의 세기가 강해지고 있습니다. 산성비가 강이나 호수에 미치는 영향을 적어보세요.

손에 잡히는 STEAM

호수에 살고 있는 생물은 무엇이 있나요?

호수의 산성화가 생물에게 어떤 영향을 주나요?

호수의 산성화로 생태계는 어떻게 변하나요?

논술형

3 세계 여러 곳에서 호수가 점점 산성화되고 있고 산성화된 호수를 살리기 위해 많은 노력을 하고 있습니다. 호수의 산성화를 낮출 수 있는 방법을 원리와 함께 적어보세요.

손에 잡히는 STEAM

호수가 산성화된 원인은 무엇인가요?

호수의 산성도를 낮추면서 호수에 큰 영향을 주지 않는 방법은 무엇인가요?

산성화된 물질을 중화시키려면 무엇이 필요한가요?

탐구력 키우기

산성비의 피해

수천 년 전에 만들어진 아름다운 대리석 조각품도, 천년이 지나도록 변함이 없던 청동 동상도 산성비와 대기 오염 물질과 같은 산성 물질에 의해 점차 부식되고 있습니다. 아름다운 조각들과 건물들이 산성비에 의해 어떻게 변하는지 실험을 통해 알아보세요.

준비물

분필 5개, 비커 5개, 식초, 묽은 염산, 탄산수소 나트륨(소다), 오렌지 주스, 물, 송곳

탐구 과정

① 송곳으로 분필 5개에 각각 글자를 새긴다.
② 5개의 비커에 각각 식초, 묽은 염산, 오렌지 주스, 물, 탄산수소 나트륨 용액을 4 cm 높이로 넣는다.
③ 각 비커에 ①의 분필을 1개씩 세워 넣는다.
④ 10분 간격으로 분필의 변화를 관찰한다.

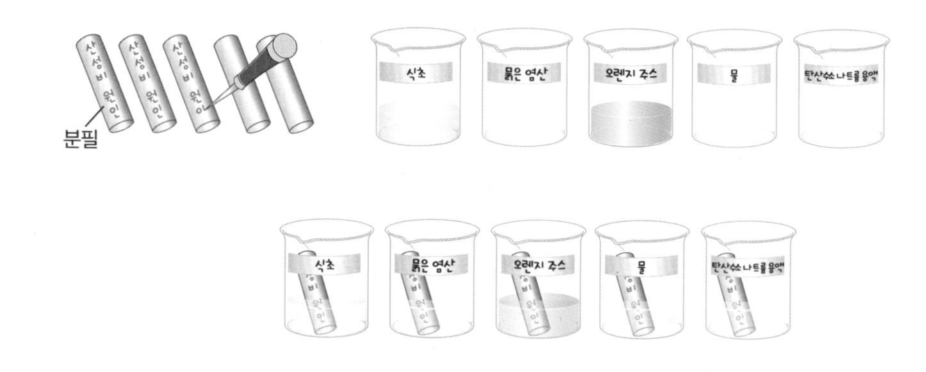

주의사항

- 투명한 컵을 사용하면 결과를 관찰하기 쉽다.
- 염산은 물과 1 : 4로 희석하여 사용한다.
- 염산을 다룰 때 손에 묻지 않도록 주의한다.
- 탄산수소 나트륨(소다)은 물에 완전히 녹여서 사용한다.

정답 및 해설
17쪽

1. 각 비커에서 나타나는 변화를 적어보세요.

식초	
염산	
오렌지 주스	
물	
탄산수소 나트륨 용액	

2. 분필이 변하는 이유를 적어보세요.

3. 산성비는 대기 중에 있는 황 산화물과 질소 산화물이 수증기와 만나 황산이나 질산이 되어 비와 함께 섞여 내리는 것입니다. 산성비의 산의 세기를 줄일 수 있는 방법을 적어보세요.

STEAM

4. 이집트의 스핑크스, 로마의 콜로세움, 프랑스의 생각하는 사람 조각, 우리나라의 원각사지 십층 석탑 등 세계적인 조형물들이 산성비에 의해 심각하게 훼손되고 있습니다. 문화재를 산성비로부터 보호할 수 있는 방법을 적어보세요.

융합인재교육 STEAM 이란?

• 수학, 과학, 기술, 공학 간 상호 연계성 고려, 학문 간 공통 핵심 요소 중심으로 교육
• 예술적 소양을 함양하고 타 학문에 대한 이해가 깊은 미래형 인재 양성으로 교육
[자료 출처 : 한국과학창의재단]

융합인재교육은 과학기술공학과 관련된 다양한 분야의 융합적 지식, 과정, 본성에 대한 흥미와 이해를 높여 창의적이고 종합적으로 문제를 해결할 수 있는 융합적 소양(STEAM Literacy)을 갖춘 인재를 양성하는 교육이라고 정의하고 있다. 학습자가 실제 문제 상황을 다양하게 설계하고 해결하는 과정을 통해 새로운 개념을 생성하고, 창의적으로 설계하며, 더불어 사는 인성, 즉 사회적 감성을 발달하도록 하는 것이다.
이러한 융합인재교육(STEAM)의 목적은 다음과 같이 정리할 수 있다.

- 빠르게 변화하는 사회 변화의 적응력을 높이는 것이다.
- 개인의 창의인성, 지성과 감성의 균형 있는 발달을 돕는 것이다.
- 타인을 배려하고 협력하며, 소통하는 능력을 함양하는 것이다.
- 과학 효능감과 자신감, 과학에 대한 흥미 등을 증진시킴으로써 과학 학습에 대한 동기 유발을 높이는 것이다.
- 융합적 지식 및 과정의 중요성을 인식시키는 것이다.
- 학습자 중심의 수평적 융합적 교육으로 전환하는 것이다.
- 합리적이고 다양성을 인정하는 문화 형성에 기여하는 것이다.
- 대중의 과학화를 기반으로 한 합리적인 사회를 구성하는 데 기여하는 것이다.
- 창조적 협력 인재를 양성하는 것이다.
- 수학, 과학, 기술, 공학 간 상호 연계성 고려, 학문 간 공통 핵심 요소 중심으로 교육
- 예술적 소양을 함양하고 타 학문에 대한 이해가 깊은 미래형 인재 양성으로 교육

안쌤이 추천하는

영재교육원 대비 5,6학년 로드맵

STEP 1

개념+창의력

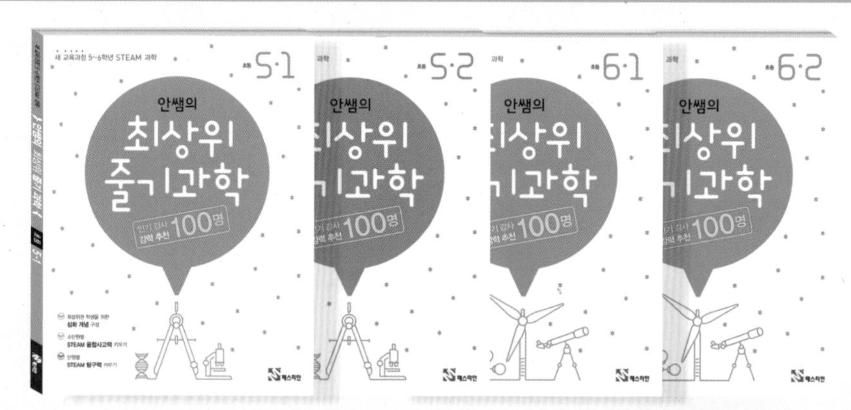

안쌤의 최상위 줄기과학 초등 시리즈 학기별 8강, 총 32강

STEP 2

문제해결력

안쌤의 창의적 문제해결력 시리즈 수학 8강, 과학 8강

STEP 3

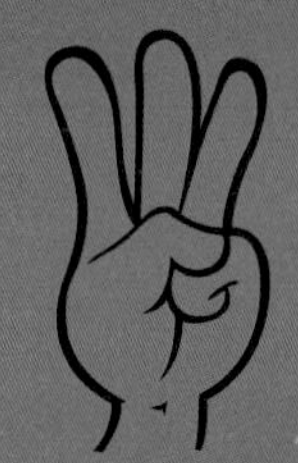

실전테스트

안쌤의 창의적 문제해결력 실전 시리즈 수학 50제, 과학 50제, 모의고사 4회

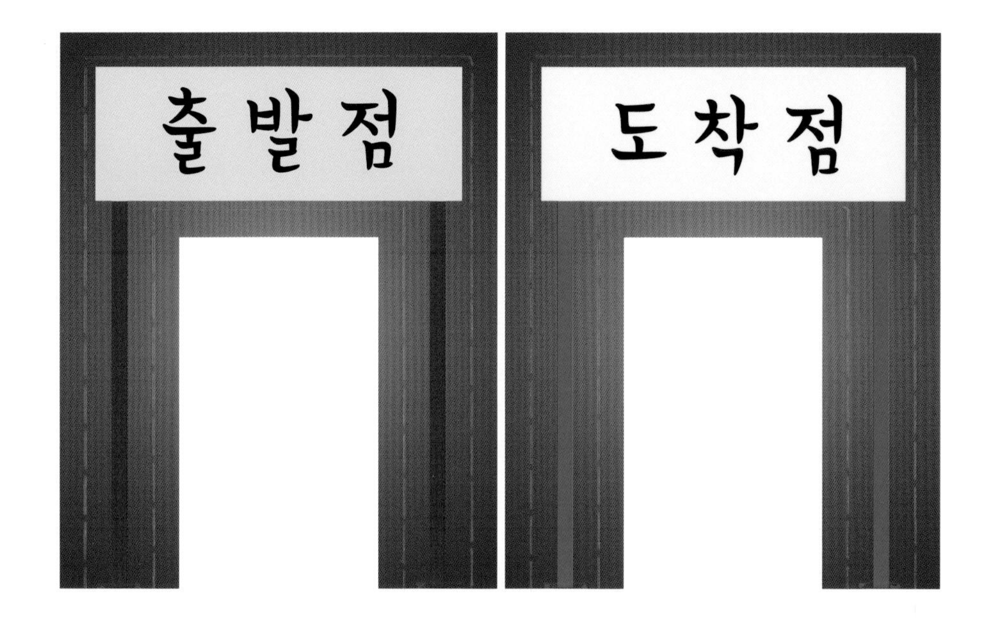

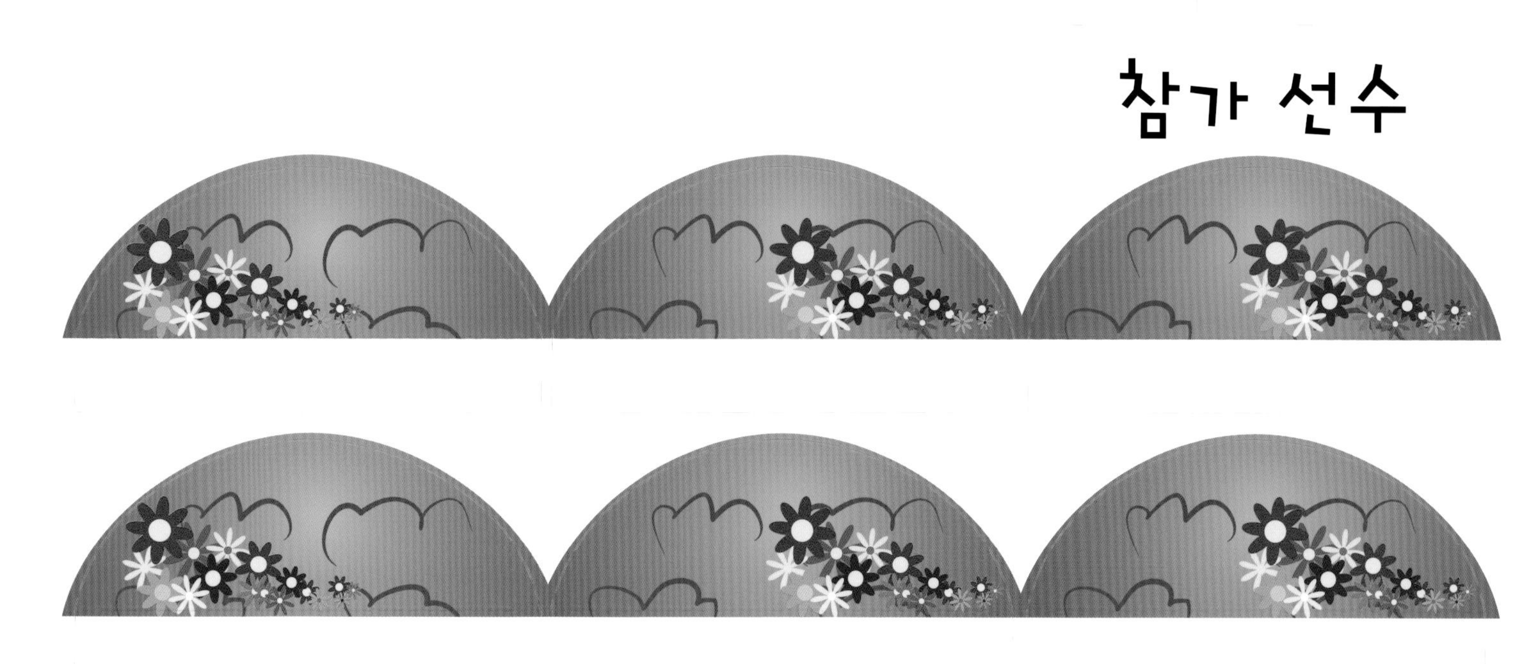

FIGHTING FIGHTING FIGHTING

FIGHTING FIGHTING FIGHTING

안쌤의
창의적 문제해결력 시리즈

초등 1~2 학년

초등 3~4 학년

초등 5~6 학년

중등 1~2 학년

새 교육과정 5~6학년 STEAM 과학

초등 5·2

정답 및 해설

최상위권 학생을 위한 **심화 개념** 구성

소단원별 **STEAM 융합사고력** 키우기

단원별 **STEAM 탐구력** 키우기

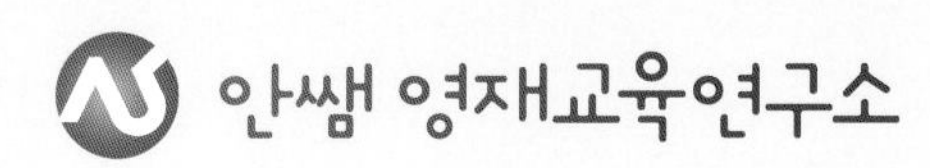

상위 1%가 되는 길로 안내하는 이정표로,
학생들이 꿈을 이루어갈 수 있도록 콘텐츠 개발과 강의 연구를 하고 있다.

검수

김미아, 김미희, 김혜숙, 김효선, 백지현, 송문정, 심혜영, 장혜선, 전익찬, 정미아, 정회은, 조혜원

인기 강사 100명 강력 추천

강도연, 강미라, 강옥주, 강은영, 강혜정, 고려욱, 곽미영, 김민정, 김보란, 김순정, 김연지, 김영준, 김은선, 김은희, 김정숙, 김정아, 김정애, 김종욱, 김주석, 김형진, 김효선, 노형섭, 문희정, 박노섭, 박선미, 박세언, 박애자, 박우용, 박윤하, 박정연, 박지은, 박진국, 박하나, 박헌진, 배정인, 배혜정, 백광열, 백지연, 변애나, 복주리, 서동진, 서유경, 서윤정, 소선영, 신규숙, 신상희, 신석화, 신현주, 안진희, 엄정연, 염경화, 오고운, 옥정화, 유나영, 유영란, 윤민혜, 윤소희, 윤순주, 이강윤, 이동림, 이미정, 이선영, 이연주, 이영주, 이영훈, 이윤정, 이은덕, 이지영, 이진경, 이혜림, 임선화, 장수진, 장윤희, 장치은, 전익찬, 전진홍, 정동훈, 정보혜, 정수일, 정영숙, 정재은, 정희현, 조영부, 조은실, 조정숙, 지다인, 차규상, 채진희, 최성덕, 최용덕, 최진영, 하영진, 한승철, 한정희, 한지연, 홍금자, 홍영주, 홍정연, 황병문, 황보혜정

정답 및 해설

Ⅰ 생물과 환경

01 생태계 ········ 2

02 생물과 환경 ········ 3

Ⅱ 날씨와 우리 생활

03 날씨 현상과 바람 ········ 6

04 해륙풍과 계절별 날씨 ········ 7

Ⅲ 물체의 운동

05 물체의 운동 ········ 10

06 속력과 우리 생활 ········ 11

Ⅳ 산과 염기

07 용액의 분류 ········ 13

08 산과 염기의 성질 ········ 15

정답 및 해설

I 생물과 환경

01 생태계

개념 기르기 12~13쪽

01 ③ 02 ③ 03 ④ 04 ③ 05 ⑤
06 ③ 07 ④ 08 ④ 09 ④ 10 ③

01 어떤 장소에서 생물 요소들이 서로 영향을 주고받거나, 생물 요소와 비생물 요소가 서로 영향을 주고받는 것을 생태계라고 한다. 생산자, 소비자, 분해자는 생태계의 구성 요소 중 생물 요소이고, 물, 공기, 흙 등 환경은 비생물 요소이다.

02 개미, 토끼, 곰팡이, 호랑이는 생물 요소이고, 공기는 비생물 요소이다.

03 호랑이, 잠자리, 개구리, 사슴은 다른 생물을 먹이로 하여 양분을 얻는 소비자이고, 버섯은 죽은 생물이나 배출물을 분해하여 양분을 얻는 분해자이다.

04 소비자는 다른 생물을 먹이로 하여 양분을 얻는 생물이고, 분해자는 죽은 생물이나 배출물을 분해하여 양분을 얻는 생물이다.

05 햇빛을 이용하여 스스로 양분을 만드는 것은 식물인 생산자이고, 토끼와 같은 소비자는 풀을 먹이로 하여 양분을 얻는다. 햇빛, 물, 공기 등 비생물 요소는 식물이 양분을 만드는 것 외에 동물이 생활하는 데에도 영향을 준다. 생물의 배출물과 사체는 곰팡이나 세균 등 분해자에 의해 분해되어 땅을 비옥하게 한다.

06 생물의 먹이 관계가 사슬처럼 연결된 것을 먹이 사슬, 여러 개의 먹이 사슬이 얽혀 그물처럼 연결된 것을 먹이 그물이라고 한다.

07 양과 다람쥐는 풀과 같은 식물을 먹이로 하여 양분을 얻는다.

08 먹이 단계는 위로 올라갈수록 수가 줄어들어 피라미드와 같은 모양을 이룬다.

09 생산자의 수가 줄어들면 1차, 2차, 3차 소비자의 수가 모두 줄어들어 생태계의 규모가 작아진다.

10 생태계의 평형은 생물의 종류와 수 또는 양이 균형을 유지하며 안정된 상태를 유지하는 것으로, 생태계를 이루는 생물의 수가 달라지면 다른 생물의 수도 달라진다.

서술형으로 다지기 14~15쪽

01 모범답안

구분		
비생물 요소		햇빛, 공기, 흙, 물
생물 요소	생산자	나무, 토끼풀
	소비자	매, 호랑이, 거미, 벌, 토끼, 뱀, 나비, 사슴, 다람쥐, 개미, 개구리, 쥐, 잠자리
	분해자	버섯, 곰팡이, 세균

해설 비생물 요소는 생물을 둘러싸고 있는 모든 자연환경, 생산자는 햇빛, 물, 공기를 이용하여 광합성을 통해 생장하고 살아가는 데 필요한 양분을 스스로 만드는 생물, 소비자는 양분을 스스로 만들지 못하여 다른 생물을 먹이로 하여 양분을 얻는 생물, 분해자는 죽은 생물이나 배출물을 분해하여 양분을 얻는 생물이다.

02 모범답안

- 생물이 죽은 뒤에 썩지 않아 지구는 생물의 사체로 가득할 것이다.
- 땅에 거름이 부족해져서 식물이 잘 자라지 못해 결국 동물의 먹이도 부족해질 것이다.

해설 분해자는 죽은 생물이나 배출물을 분해하여 생태계의 평형을 유지하는 데 중요한 역할을 한다.

03 모범답안 1차 소비자의 수가 줄어들고 3차 소비자의 수가 늘어날 것이다.

해설 2차 소비자의 수가 갑자기 늘어나면 먹이인 1차 소비자의 수는 줄고, 2차 소비자를 먹는 3차 소비자의 수는 늘어난다. 1차 소비자의 수가 줄면 생산자의 수가 늘어나고, 3차 소비자의 수가 늘어나면 다시 2차 소비자의 수가 줄어들면서 생태계의 평형이 유지된다.

04 모범답안 어떤 먹이가 부족하면 다른 먹이를 먹을 수 있어 생물이 쉽게 멸종되지 않고 생태계 평형을 유지할 수 있다.
해설 여러 개의 먹이 사슬이 얽혀 그물처럼 연결된 것을 먹이 그물이라고 한다. 실제 생태계 내에서 소비자인 동물은 여러 종류의 생물을 먹이로 하기 때문에 먹이 관계가 먹이 그물 형태로 나타난다.

융합사고력 키우기 16~17쪽

01 모범답안 자신을 보호하고 번식할 수 있다.
해설 식물의 방어기작은 자기 자신을 보호하고 번식하여 대를 이어가기 위한 필수적인 생명 현상이다.

02 모범답안 기억이 방어 반응을 불러일으킨다.
해설 식물은 자신에게 위협적인 소리를 기억하기 때문에 잎을 갉아먹는 소리를 들려주었을 때 독성 물질을 분비한다. 우리 몸은 처음 침입했던 유해 물질을 기억하기 때문에 유해 물질이 2차로 침입하면 더 많은 방어 물질을 빠르게 분비한다. 즉, 두 현상 모두 기억이 방어 반응을 불러일으킨다.

03 예시답안
- 알 껍질에 독성 물질을 방어할 수 있는 막을 만든다.
- 식물이 외부 물질로 인식하지 않도록 알을 낳아 식물이 독성 물질을 분비하는 것을 막는다.
- 해충 자체에 돌연변이를 일으켜 알이 독성 물질에 의해 피해를 받지 않도록 한다.

해설 생물은 자신을 보호하고 번식하여 대를 잇기 위해 주위 환경에 적응되고 진화한다. 해충이 식물로부터 피해를 막기 위한 적응과 진화의 방법으로는 독성 물질에 대한 내성을 만들거나 식물이 독성 물질을 분비하지 못하도록 차단하는 방법 등이 있다.

02 생물과 환경

개념 기르기 22~23쪽

01 ④ 02 ① 03 ② 04 ③ 05 ②
06 ①, ④ 07 ② 08 ④ 09 ⑤ 10 ①, ②
11 ④ 12 ④

01 햇빛이 콩나물의 자람에 미치는 영향을 알아보기 위해서는 햇빛의 양만 다르게 하고 나머지 다른 조건은 모두 같게 해야 한다.

02 물이 콩나물의 자람에 미치는 영향을 알아보기 위해서는 물의 양만 다르게 하고 나머지 다른 조건은 모두 같게 해야 한다.

03 (가)의 콩나물은 떡잎이 연한 초록색으로 변하고 줄기가 가늘어지고 길어진다. (나)는 떡잎과 줄기가 초록색으로 변하고 줄기가 처음보다 길어지고 굵어진다. (다)는 떡잎이 노란색이고 줄기가 매우 가늘어지고 시든다. (라)는 떡잎이 노란색이고, 줄기가 곧고 길게 자란다.

04 햇빛을 받고 자란 콩나물만 떡잎과 줄기가 초록색으로 변한다.

05 식물은 햇빛을 이용하여 양분을 만들고, 햇빛은 꽃이 피는 시기와 동물의 번식 시기에 영향을 준다.

06 생물이 살아가는 터전을 제공하는 것은 흙이고, 꽃이 피는 시기와 동물의 번식 시기에 영향을 주는 것은 햇빛이다.

07 적응은 환경에 더 적합한 특징을 나타내는 유전자가 다음 세대의 자손에게 전달되는 것이다.

08 대벌레는 생김새가 가늘고 길쭉하여 나뭇가지가 많은 환경에서 적으로부터 몸을 숨기기 유리하게 적응되었다. ① 철새는 서식지 이동, ② 다람쥐는 겨울잠, ③ 작은 물고기는 무리를 지어 행동, ⑤ 바다뱀은 독으로 자신을 보호하기 유리하게 적응되었다.

09 추운 지방에 사는 북극여우는 몸 전체가 하얀색 털로 덮여

있으며 더운 지방에 사는 사막여우에 비해 몸집이 커서 표면적이 작고, 귀가 작아 열 손실을 줄이기 유리하다.

10 산사태와 산불은 오염된 공기로 인한 직접적인 피해가 아니다. 주변에 심각한 악취를 풍기는 것은 쓰레기 매립으로 토양이 오염되었을 때 나타나는 현상이다.

11 생태 통로를 건설하고 생태 공원을 조성하는 것은 생태계를 보전하기 위한 노력이다.

12 쓰레기를 태우면 공기가 오염될 수 있으므로, 분리 배출하여 버려야 한다.

서술형으로 다지기 24~25쪽

01 모범답안

(1) 같게 해야 할 것 : 자른 페트병의 크기, 콩나물의 수, 콩나물 줄기의 길이와 굵기, 콩나물이 받는 햇빛의 양

(2) 다르게 해야 할 것 : 콩나물에 주는 물의 양

해설 물이 콩나물의 자람에 미치는 영향을 알아보기 위해서는 물의 양을 제외한 나머지 것을 모두 같게 해야 한다.

02 모범답안 추운 곳에 사는 사람들은 열을 빼앗기는 것을 막기 위해서 신체 표면이 외부에 덜 노출되도록 발달되었다.

해설 신체 표면적이 넓을수록 신체 표면이 외부에 많이 노출되므로 열이 많이 빠져나간다. 따라서 추운 곳에 사는 사람들은 신체 표면이 외부에 덜 노출되도록 적응되었다. 반대로 더운 사막에 사는 사람들은 신체 표면이 외부에 많이 노출되어 열을 효과적으로 발산하도록 적응되었다. 몸속의 피하 지방은 체온이 발산되는 것을 막아 주기 때문에 추위로부터 몸을 보호하는 역할을 한다. 에스키모인들은 다른 지역의 사람들보다 피하 지방층이 매우 발달되어 있어 몸무게가 많이 나간다. 반대로 더운 곳에 사는 사람들은 열을 많이 방출해야 하므로 두꺼운 피하 지방층이 필요하지 않다.

03 모범답안 서식지 환경과 털 색깔이 비슷하여 적으로부터 몸을 숨기거나 먹잇감에 접근하기 쉬우므로 살아남기에 유리하기 때문이다.

해설 주위 환경과 다른 색깔의 털이 있는 여우들은 눈에 띄기 때문에 천적에게 잡아 먹힐 가능성이 높고 먹잇감에 접근하기 어렵다. 각 지역에 살고 있던 수많은 여우들 중에서 각 환경에 적합한 특성을 지닌 여우들이 살아남았고, 오랫동안 이 여우들이 번성하여 살아남은 것이 현재 각 지역의 여우이다.

04 모범답안

- 그곳에서 살고 있던 동식물이 서식지를 잃는다.
- 생물의 종류나 수가 줄어들고 멸종되기도 한다.
- 생태계 평형이 깨진다.
- 생활 폐기물이 생겨 물과 토양이 오염된다.

해설 산을 깎아 골프장을 짓는 사람들의 활동은 생태계에 해로운 영향을 미쳐 결국 생태계 평형을 깨뜨린다.

융합사고력 키우기 26~27쪽

01 모범답안

- 생활 하수를 정화하여 사용한다.
- 영양염류를 흡수하는 수중식물을 심는다.

해설 생활 하수를 정화하여 사용하면 영양염류를 최소화할 수 있고, 물가에 뿌리를 내리고 사는 풀이나 나무를 강가나 호숫가에 심으면 뿌리를 통해 물속의 영양염류가 흡수되기 때문에 녹조 현상을 줄일 수 있다. 영양염류는 바닷물 속의 규소, 인, 질소 등의 염류를 통틀어 이르는 말로, 식물성 플랑크톤이나 바닷말의 몸체를 구성하며, 식물성 플랑크톤이 증식하는 원인이 된다.

02 모범답안 수직 운동이 활발한 해수, 심해에 쌓여 있던 영양염류가 수면으로 올라와 녹조 현상이 일어나기 때문이다.

해설 수직 운동이 활발한 해수에서는 물의 순환이 잘 일어나기 때문에 녹조 현상이 심하게 일어난다. 영양염류는 수중

생태계의 물질 순환 속에 계속 남아있으므로, 녹조 현상을 해결하기 위해서는 물에 유입된 영양염류를 제거해야 한다.

03 모범답안 농도가 높은 바닷물일수록 오염 물질이 퍼지는 것을 방해하기 때문에 수질 오염 속도가 빠르다.

해설 바다에서는 염분의 농도가 수질 오염 속도를 결정짓는 요소 중 하나이다. 염분이 낮은 바닷물에서는 오염 물질이 퍼지는 것을 방해하는 물질이 적으므로 수질 오염 속도가 느리다. 하지만 염분이 높은 바닷물에서는 오염 물질이 퍼지는 것을 방해하는 물질이 많으므로 수질 오염 속도가 빠르다.

탐구력 키우기

28~29쪽

01 모범답안

운동장 흙 지퍼 백의 공기	아무 변화가 없다.
부엽토 지퍼 백의 공기	뿌옇게 흐려진다.

해설 부엽토 속의 세균, 곰팡이 등 분해자가 활동하기 때문에 호흡 과정을 통해 이산화 탄소가 생긴다. 부엽토가 든 지퍼 백 안에서는 분해자의 활동으로 인해 습기가 생기기도 한다.

02 모범답안

운동장 흙	청람색이 된다.
부엽토	• 갈색이다. • 아이오딘-아이오딘화 칼륨 수용액 색이다.

해설 부엽토 속의 세균과 곰팡이 등 분해자가 활동하여 녹말을 분해하였으므로, 아이오딘-아이오딘화 칼륨 반응이 나타나지 않는다.

03 모범답안 부엽토, 부엽토 안에 있는 분해자가 죽은 생물이나 배출물을 분해하여 다시 흙 속으로 되돌려주기 때문이다.

해설 흙 속에 있는 분해자는 흙으로 들어온 모든 죽은 생물이나 배출물(유기물)을 분해하여 식물이 이용할 수 있는 양분(무기물)으로 만든다. 식물은 흙 속의 물과 양분(무기물)을 흡수하고 광합성을 통해 양분(유기물)을 만들고, 동물은 식물을 먹고 생장과 활동에 필요한 에너지를 얻는다. 건강한 토양은 분해자가 많아 물질 순환이 빠르다.

04 모범답안 산성비에 의해 토양 속 분해자가 줄어들었기 때문이다.

해설 도시의 낙엽은 오염 물질이 많이 묻어 있어 함부로 태울 수 없고, 썩지 않은 낙엽은 퇴비로 쓰기도 힘들다. 산에 두껍게 쌓여 있는 낙엽 때문에 산불도 자주 발생한다. 나무 밑의 낙엽은 자연 상태에서는 분해자에 의해 분해되어 식물의 양분이 된다. 그러나 산성비로 인해 토양이 산성화되어 분해자가 서식할 수 없는 환경이 되면, 낙엽이 분해되지 않는다. 이때는 분해자를 뿌려 낙엽을 분해해 양분화하던지 낙엽을 제거하여 습한 환경에서 발생하는 병충해를 예방해야 한다. 산불이 나면 열기로 인해 토양 안쪽에 사는 분해자까지 모두 죽어버리므로, 산불이 한 번 발생하면 복원하는데 최소 50년 이상이 걸린다.

정답 및 해설

Ⅱ 날씨와 우리 생활

03 날씨 현상과 바람

개념 기르기 36~37쪽

01 ③ 02 ③ 03 ①, ③ 04 ⑤ 05 ①
06 ③ 07 ⑤ 08 ⑤ 09 ②

01 ㉠은 건구 온도계이고 ㉡은 습구 온도계이다. ㉠과 ㉡의 온도 차가 없으면 습도는 100 %이다.

02 건구 온도는 25 ℃이고 건구와 습구의 온도 차는 5 ℃이므로 습도는 63 %이다.

03 집기병 (가) 표면에서는 얼음물이 담겨 있는 높이까지만 집기병 바깥에 있는 공기 중의 수증기가 응결해 집기병 표면에 물방울로 맺힌다. 집기병 (나)에서는 집기병 안쪽의 따뜻한 수증기가 조각 얼음으로 인해 차가워져서 응결하여 아주 작은 물방울이 되므로 안이 뿌옇게 흐려진다. 집기병 (가)에서 나타나는 현상은 이슬이고, 집기병 (나)에서 나타나는 현상은 안개이다.

04 ㉠ 이슬은 물체와 공기의 온도 차가 클 때 생긴다.
㉢은 안개이다.

05 페트병 안에 공기를 넣으면 페트병 안의 온도가 높아진다.

06 공기가 지표면으로부터 하늘 높이 올라가면 부피가 커지고 온도는 낮아진다. 이때 공기 중의 수증기가 응결하여 작은 물방울이나 얼음 알갱이 상태로 변해 하늘에 떠 있는 것이 구름이다.

07 에어컨이나 히터를 켜면 바람에 의해 응결된 물방울이 증발하므로 다시 선명하게 된다.

08 차가운 공기는 따뜻한 공기보다 일정한 부피에 들어 있는 공기 알갱이가 더 많아서 무겁고, 상대적으로 공기가 무거우면 고기압이다.

09 ① 서쪽에서 불어오는 바람의 이름은 서풍이다.
③ A 지역의 공기는 B 지역의 공기보다 온도가 낮다.
④ 일정한 부피일 때 공기를 이루고 있는 알갱이는 A 지역보다 B 지역이 더 적다.
⑤ 일정한 부피일 때 A 지역의 공기가 B 지역의 공기보다 더 무겁다.

서술형으로 다지기 38~39쪽

01 모범답안 구름이 없고 바람이 불지 않는 맑은 날, 또는 일교차가 큰 날
해설 이슬은 밤이 되어 차가워진 나뭇가지나 풀잎 표면에 수증기가 응결해 물방울로 변한 것이다. 공기의 온도가 갑자기 낮아지면 공기 중의 수증기가 응결되는 양이 많아 이슬이 더 잘 생긴다. 구름이 없고 바람이 불지 않는 맑은 날에 일교차가 크면 새벽에 공기의 온도가 매우 낮아져 수증기가 응결되는 양이 많아지므로 이슬이 잘 생긴다.

02 모범답안 비가 내릴 때 공기 중의 대기 오염 물질이 빗물과 함께 씻겨 내려가기 때문이다.
해설 인공강우는 하늘에 구름은 있지만 구름 속 물방울들이 빗방울로 뭉쳐지지 못할 때 인위적으로 응결핵을 뿌려 비를 내리게 하는 방법이다. 인공 비는 구름이 없고 햇빛이 쨍쨍한 가뭄 때는 큰 효과가 나타나지 않는다.

03 모범답안 건구 온도와 습구 온도의 온도 차가 클수록 습도가 낮다.
해설 습구 온도계 아랫부분의 물이 증발하면서 열을 빼앗으므로 습구 온도는 건구 온도보다 낮거나 같다. 습구 온도와 건구 온도의 온도 차가 작을수록 물의 증발이 활발하지 않으므로 습도가 높고, 습구 온도와 건구 온도의 온도 차가 클수록 물의 증발이 활발하므로 습도가 낮다.

04 모범답안

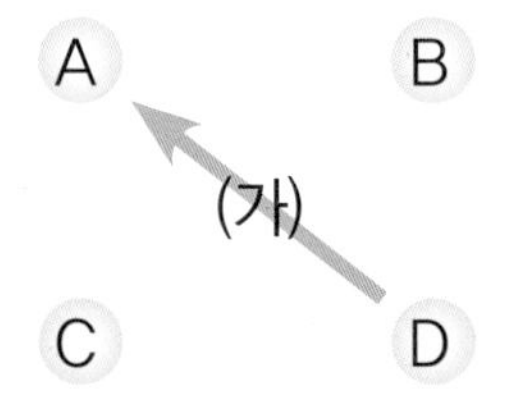

D는 고기압이고 A는 저기압이므로 D에서 A로 바람이 분다.

해설 상대적으로 공기가 무거우면 고기압이 되고, 가벼우면 저기압이 된다. 바람은 두 지점에 기압 차이가 생길 때 공기가 수평으로 이동하는 것으로, 고기압에서 저기압으로 분다.

융합사고력 키우기 40~41쪽

01 모범답안 응결핵

02 모범답안

- 물이 부족할 때 물을 확보한다.
- 중동 지역 국가에서는 농작물 재배에 필요한 물이나 마실 수 있는 물을 확보한다.
- 무더위가 지속될 때 비를 내리게 하여 기온을 낮춘다.
- 미세 먼지가 심할 때 비를 내리게 하여 미세먼지를 제거한다.
- 큰 야외 행사 전에 먹구름이 몰려올 때 비를 먼저 내리게 하여 맑은 날씨를 만든다.
- 산불이 발생했을 때 비를 내리게 하여 산불을 진화한다.

해설 일본은 댐 근처에 적절한 구름이 지날 때 인공강우를 실시하여 물을 확보하고 있고, 태국은 건기 때 인공강우를 실시하여 농사에 필요한 물을 얻고 있다.

03 모범답안

- 비용이 많이 들고 성공률이 낮아 경제적이지 않다.
- 다른 지역에서는 극심한 가뭄에 시달릴 수 있다.
- 응결핵으로 뿌리는 아이오딘화 은과 드라이아이스 등이 환경에 좋지 않은 영향을 미칠 수 있다.

해설 인공강우는 없는 비를 만드는 것이 아니라 비가 내릴 만큼 여물지 않은 구름에서 인위적으로 비를 내리게 하는 것이다. 따라서 한쪽에서 비를 내리게 하면 다른 쪽은 더 극심한 가뭄에 시달릴 수도 있다. 중국이 편서풍 방향으로 이동하는 구름을 이용해 인공강우를 실시하면, 우리나라에는 구름이 사라져 비가 내리지 않는다.

04 해륙풍과 계절별 날씨

개념 기르기 46~47쪽

01 ②	02 ⑤	03 ③	04 ④	05 ①
06 ⑤	07 ③, ④	08 ③	09 ③	10 ①

01 모래와 물에 전등을 켰을 때와 껐을 때 온도 변화를 알아보는 실험이므로 두 물질의 종류만 다르게 하고 나머지 조건은 같게 해야 한다.

02 시간이 더 지나면 모래의 온도가 물의 온도보다 더 낮아진다. 낮에는 지면의 온도가 수면보다 높고, 밤에는 수면의 온도가 지면의 온도보다 높다.

03 공기의 움직임을 눈으로 보기 위해 향 연기를 넣어 관찰한다.

04 아래쪽의 공기는 고기압인 물에서 저기압인 모래 쪽으로 움직인다.

05 낮에는 육지 위의 공기 온도가 높아 저기압이 되고, 바다 위의 공기 온도가 낮아 고기압이 되므로 바람은 바다에서 육지로 해풍이 분다.

06 밤에는 바다 위의 공기가 따뜻하므로 저기압이 되고, 육지 위의 공기가 차가우므로 고기압이 된다. 따라서 육지에서 차가운 공기가 바다 쪽으로 이동하는 육풍이 분다.

07 공기 덩어리가 육지에 오랫동안 머물러 있으면 건조해지고, 바다에 오랫동안 머물러 있으면 습해지며, 북쪽에 오랫동안 머물러 있으면 차가워지고, 남쪽에 오랫동안 머물러 있으면 따뜻해진다.

08 ③은 날씨와 관계없다.

09 가을에는 (다)의 영향으로 따뜻하고 건조하다. (나)는 초여름에 우리나라에 영향을 미친다.

10 세차지수가 낮고 공해지수가 높으므로 날이 맑지 않다. 세차하기에 좋은 날이 아니다.

정답 및 해설

서술형으로 다지기 48~49쪽

01 모범답안 밤에는 육풍이 불기 때문이다.

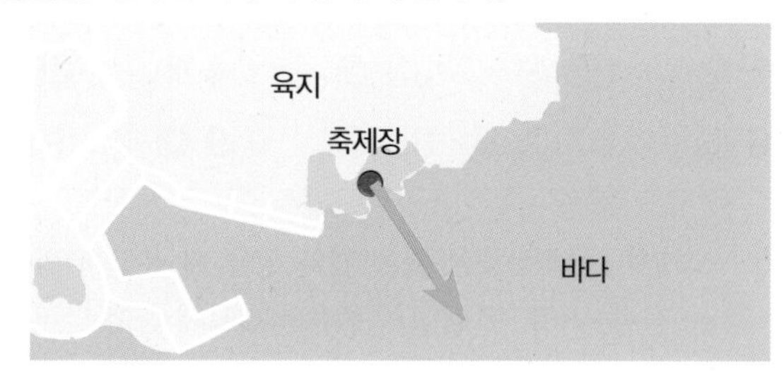

해설 밤에는 바다의 온도가 육지의 온도보다 더 높기 때문에 바다는 저기압이 되고 육지는 고기압이 되어 육지에서 바다 쪽으로 바람이 분다.

02 모범답안 육풍이 부는 아침 6~7시경에 바다로 나가 물고기를 잡은 후 해풍이 부는 저녁 18~19시경에 돌아오는 것이 좋다.

해설 오전 9시부터 저녁 20시까지는 지면의 온도가 수면보다 높아 저기압이 되고, 수면은 고기압이 되어 해풍이 분다. 저녁 20시부터 아침 9시까지는 수면의 온도가 지면보다 높아 저기압이 되고, 지면은 고기압이 되어 육풍이 분다. 어부가 바다로 나갈 때 육풍이 불고 바다에서 육지로 돌아올 때는 해풍이 불면 적은 힘으로 바다와 육지를 이동할 수 있다. 따라서 이른 아침 육풍이 부는 6~7시경에 바다로 나가고, 어두워지기 전 육풍이 부는 18~19시경에 육지로 돌아오는 것이 가장 효과적이다.

03 모범답안 봄에 영향을 주는 (다)의 힘이 약해지면 차갑고 건조한 (가)의 영향을 받기 때문이다.

해설 봄이 되면 차갑고 건조한 북쪽의 (가)에서 분리되어 나온 이동성 고기압과 중국 대륙에서 발생한 (다)가 3~4일 간격으로 교대로 통과하므로 날씨가 맑고 기온이 올라간다. 그러나 차갑고 건조한 북쪽의 (가)가 세력을 회복하면 매서운 추위가 오는 꽃샘추위가 온다.

04 모범답안 여름에는 육지가 바다보다 빨리 데워져 저기압이 되므로 바다에서 육지로 남동풍이 불고, 겨울에는 육지가 바다보다 빨리 식어 고기압이 되므로 육지에서 바다로 북서풍이 분다.

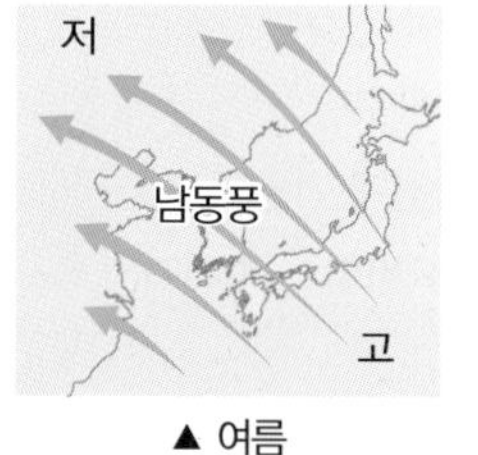

▲ 여름

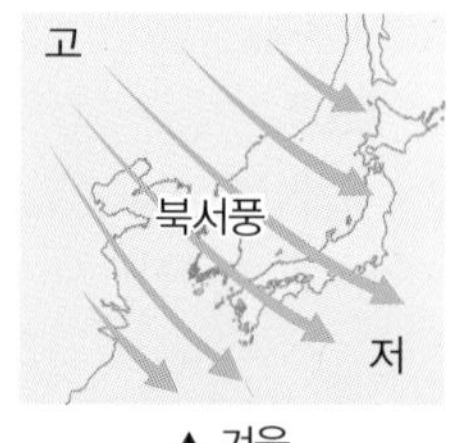

▲ 겨울

해설 여름에 남쪽 바다에서 불어오는 남동풍은 기온이 높고 습하여 여름철을 무덥게 만들고 불쾌지수를 높인다. 남동풍은 6월~7월 사이에 가장 강하다. 겨울에 북쪽 육지에서 불어오는 북서풍은 춥고 건조하여 겨울철에 심한 추위를 몰고 온다. 북서풍은 11~1월에 가장 강하다.

융합사고력 키우기 50~51쪽

01 모범답안 B와 D, 바다에서 만들어져 습하다.

해설 습한 B(오호츠크해 기단)와 D(북태평양 기단)가 우리나라에서 만나 머물면 장마가 나타난다.

02 모범답안 지구 온난화로 인해 공기 중에 포함된 수증기가 많아졌기 때문이다.

해설 더워진 공기가 수증기를 많이 포함한 채로 상승하면 많은 수증기가 응결되어 작은 물방울이 많이 포함된 구름이 만들어지고, 물방울이 뭉쳐져 많은 비가 내린다. 더워진 공기가 많을수록 물방울이 많은 구름이 생기고, 이로 인해 언제든지 폭우가 내릴 수 있는 상황이 된다.

03 예시답안

- 건물마다 빗물을 모을 수 있는 시설을 설치하여 청소, 조경 용수, 화장실 대 · 소변기에 이용한다.
- 지붕이나 넓은 땅에 빗물을 모을 수 있는 시설을 만들어 침수 예방, 상수 절약 용도로 사용한다. 단수나 화재 등 비상시에도 사용할 수 있다.
- 건물 옥상에서 모은 빗물로 옥상 정원이나 옥상 텃밭을 가꾸는 데 사용한다.
- 겨울에 빗물을 모은 후 얼려 썰매장으로 활용한다.
- 도심에 녹색댐을 설치하여 빗물을 저장하여 사용한다.
- 빗물이 땅속으로 잘 흘러 들어가도록 하여 지하수량을 풍부하게 해 메마른 하천을 되살린다.

해설 빗물은 모든 수자원의 근원이므로 빗물을 모으면 여러 가지 장점이 있다. 장마철 거리로 흘러가는 빗물의 양을 줄일 수 있어 홍수를 막을 수 있고, 저장된 물을 관개용, 조경용, 세척용 등으로 사용하면 수돗물 사용도 절약할 수 있다.
광진구에 위치한 스타시티는 1,000톤 탱크 3개의 저장조를 설치했다. 첫 번째 저장조는 지붕에서 모아진 빗물을 저장하고, 두 번째 저장조는 단지 내에서 모아진 빗물을 저장해 침수 예방과 상수 절약 용도로 사용하고 있다. 특히 조경 용수로 사용된 빗물이 비포장도로에서 다시 침투해 저장조로 들어오는 순환이용 시스템을 이용해 빗물의 이용률을 높였다. 세 번째 저장조는 단수나 화재 등 비상시에 대비한다. 10톤짜리 소방차 100대분의 물이 항상 저장돼 있어 주민들은 물론 그 지역 사람들까지 화재에 대한 걱정을 줄일 수 있다.
상암 월드컵공원 주차장에는 국내 최초 빗물 관리 주차장을 설치했다. 추가적인 부지 없이 빗물의 유출을 줄이고, 오염원을 제거하여 빗물을 지하수로 유입시키거나 증발시킨다.
호주는 빗물을 연못에 모아 오염 물질과 세균을 거른 뒤, 펌프로 지하에 있는 대수층에 주입한 다음 화장실 세척수, 정원수, 공업용수로 쓰며 가정의 생활용수로도 활용한다.
일본의 도쿄돔은 매우 넓은 지붕으로 빗물을 모아 빗물이용 시설을 통해 화장실 세척수, 기계의 냉각수, 자동차 세차나 대형 건물의 청소용수 등으로 이용하고 있다.

탐구력 키우기

52~53쪽

01 모범답안

- 실험 1 : 마분지가 컵에 붙어 있고 물이 쏟아지지 않는다.
- 실험 2 : 페트병이 모든 방향으로 찌그러진다.

해설

- 실험 1 : 물이 새서 마분지와 유리컵 사이로 공기가 들어가면 그 틈으로 물이 쏟아질 수 있으니 주의한다.
- 실험 2 : 온도 차가 클수록 페트병이 잘 찌그러진다. 냉장고에 넣어두면 실험 결과를 빠르게 확인할 수 있다.

02 모범답안 종이 밑의 공기가 물의 무게보다 더 큰 힘으로 종이를 위로 밀고 있기 때문이다.

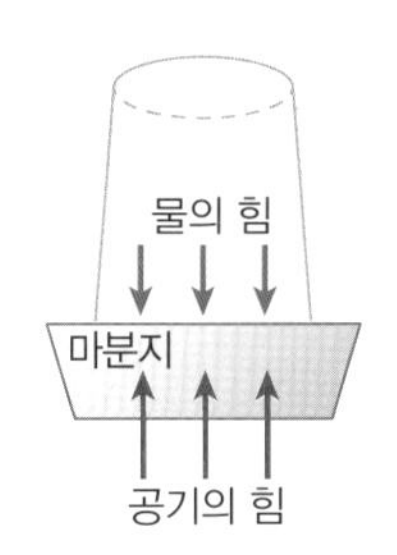

해설 평지에서의 기압은 1 cm^2 당 1 kg의 무게의 힘으로 작용한다. 공기는 기체이기 때문에 힘이 아래쪽으로만 가해지는 게 아니라 사방으로 작용한다.

03 모범답안 페트병 안의 공기 온도가 낮아지면 저기압이 되므로 페트병 밖의 공기가 모든 방향으로 페트병을 누르기 때문이다.
해설 공기는 고기압에서 저기압으로 이동하며, 공기가 움직이면 힘이 생긴다.

04 모범답안 높은 곳으로 올라갈수록 공기 중에 있는 산소의 양이 감소하기 때문이다.
해설 고도가 높아지면 기압이 낮아져 공기 중에 있는 산소의 양이 감소한다. 사람이 갑자기 약 2,500 m 이상 되는 고지대에 오르거나 고지대에서 스키 같은 격렬한 활동을 하면 고산병을 겪을 수 있다. 2,400~3,000 m 정도까지의 중등 고도에서는 체내 산소 운반 능력이 많이 떨어지지는 않지만, 운동 능력이 조금씩 떨어진다. 따라서 급하게 산을 오르면 2,500 m 정도의 높이에서도 급성 고산병이 생길 수 있다. 3,000~5,500m 정도의 상위 고도에서는 동맥의 산소 포화도가 떨어지면서 저산소증이 나타난다. 5,500 m 이상의 최상위 고도에서는 심한 저산소증과 저탄산증이 생기고, 운동 능력도 많이 떨어지기 때문에 사람이 살 수 없다. 고산병이 심하지 않으면 두통, 구역, 구토, 현기증, 불면증 같은 증상이 나타나고, 심해지면 생명의 위협을 받을 수 있다. 일단 고산병의 증상이 나타나면 그 증상이 심하지 않더라도 더 이상 높이 올라가면 안 된다. 급성 고산병은 더 이상 산을 오르지 않으면 증상이 나아지고, 고지대에서 내려오면 적어도 2~3일 뒤 증상이 사라진다.

Ⅲ 물체의 운동

05 물체의 운동

개념 기르기 60~61쪽

01 ④	02 ③	03 ②, ④	04 ③	05 ②
06 ②	07 ⑤	08 ①	09 ③	10 ⑤

01 운동하고 있는 물체는 시간에 따라 물체의 위치가 변한다.

02 자동차 앞바퀴를 기준으로 하면 자동차는 1초 동안 9 m 이동했다.

03 자동계단, 케이블카, 회전목마는 빠르기가 일정하다.

04 물체의 빠르기를 비교하기 위해서는 이동한 거리와 이동하는 데 걸린 시간을 알아야 한다.

05 타원형 트랙은 안쪽과 바깥쪽의 거리 차이가 나기 때문에 도착 지점을 같게 하려면 서로 다른 위치에서 출발해야 한다.

06 50 m 달리기는 일정한 거리를 이동하는 데 걸린 시간을 측정한다. 걸린 시간을 나타내는 숫자가 작을수록 빠르다.

07 100 m 달리기에서 시간이 짧게 걸린 정우가 가장 빠르고, 시간이 가장 오래 걸린 수민이가 가장 느리다.

08 원반 던지기는 원반이 날아간 거리를 비교하고, 농구는 일정한 시간에 얻은 점수를 비교한다.

09 일정한 시간 동안 이동한 거리가 짧을수록 물체의 빠르기가 느리다.

10 시내버스와 승용차가 출발점에서 같은 방향으로 동시에 출발했을 때 1시간 후 두 차 사이의 거리는 20 km이다.

서술형으로 다지기 62~63쪽

01 모범답안
- 출발점과 도착점을 정하고 이동하는 데 걸린 시간을 측정한다.
- 출발점을 정하고 10초 동안 이동한 거리를 측정한다.

해설 종이 자동차의 빠르기를 비교하기 위해서는 일정한 거리를 이동하는 데 걸린 시간이나 일정한 시간 동안 물체가 이동한 거리를 알아야 한다. 일정한 거리를 이동하는 데 걸린 시간이 짧을수록, 일정한 시간 동안 물체가 이동한 거리가 멀수록 빠르다.

02 모범답안
- 곰 인형은 빠르기가 일정한 운동을 한다.
- 강아지 인형은 빠르기가 점점 느려지는 운동을 한다.
- 오리 인형은 빠르기가 점점 빨라지는 운동을 한다.

해설 테이프 사이의 거리는 1초 동안 이동한 거리이다. 테이프 사이의 간격이 넓을수록 빠르고 간격이 좁을수록 느리다.

03 모범답안 빛이 소리보다 빠르기 때문이다.

해설 번개와 천둥소리는 동시에 생긴다. 빛의 빠르기는 약 30만 km/s이고, 소리의 빠르기는 약 340 m/s이다. 번개는 빛이므로 1초 동안에 약 30만 km를 이동하지만, 천둥소리는 1초 동안에 340 m만 이동하므로 천둥소리가 늦게 들린다.

04 모범답안 삼각형 나무 조각을 바다에 던져 놓은 후 모래시계의 모래가 한 번 떨어지는 동안 풀린 밧줄의 길이를 잰다.

해설 배의 빠르기를 측정하는 데 쓰인 모래시계는 28초 걸린다. 14.4 m마다 매듭(knot)이 있는 줄 끝에 나무 조각을 매단 후 배의 옆면에서 바다에 던진다. 첫 번째 매듭이 손에서 벗어날 때부터 모래시계(28초)로 시간을 재면서 손을 지나간 매듭의 수를 세면 배의 빠르기(단위는 노트)를 측정할 수 있다. 1 노트는 1시간에 1,852 m를 이동하는 빠르기다.

융합사고력 키우기 64~65쪽

01 모범답안 급행 고속 열차

해설 일정한 거리를 이동하는 데 걸린 시간이 짧을수록 빠르다.

02 모범답안 터널 내부의 공기를 없애 공기 저항을 줄인다.

해설 진공 튜브 열차는 공기 저항을 줄이기 위해 유선형으로 만들고 무게를 줄인다. 또한, 터널 내부 공기를 절반 이상 뽑아내 공기 저항을 줄인다. 진공 튜브 열차는 이론상 마하 3(3,672 km/h)의 속도로 달릴 수 있으며, 서울에서 미국까지 2시간 정도 걸리는 최첨단 열차이다.

03 예시답안

- 파도와 부딪치지 않기 때문에 에너지 효율이 높다.
- 흔들림이 적어 뱃멀미가 없다.
- 장애물이 있을 때 비행 고도를 높여 피할 수 있다.

해설 배는 느리고 항공기는 운송 효율이 떨어진다. 하지만 위그선은 빠르고 운송 효율이 높아 세계 운송 · 물류 체계에 혁명을 가져올 수 있다. 위그선의 활주로는 물이고, 수심 50 cm 이상이면 물에서 오르내릴 수 있다. 비행 중 비상 상황이 생기면 언제든지 착수할 수 있고, 일시적으로 비행 고도를 높여 해상 장애물을 피할 수도 있으며, 날씨가 나빠지면 안전한 곳으로 빨리 대피할 수 있다. 또한, 연비가 높아 휘발유 200 L로 800 km를 운항할 수 있다. 연료 소모량이 배의 30 %, 항공기의 50 % 정도이다. 국제해사기구(IMO)는 위그선을 저탄소 배출 에너지 절감형 교통수단으로 지정했다. 위그선은 운항 시 상하 운동과 좌우 흔들림이 적어 멀미가 없으므로 장거리 항해 능력만 보완하면 차세대 운송 수단으로서 제격일 것이다.

06 속력과 우리 생활

개념 기르기 70~71쪽

01 ② **02** ⑤ **03** ② **04** ② **05** ④
06 ① **07** ④ **08** ⑤ **09** ⑤ **10** ⑤
11 ①

01 ㉠ 6 m/s는 육 미터 퍼 세컨드라고 읽는다.
㉣ 속력은 물체의 이동 거리를 걸린 시간으로 나누어 구한다.

02 기차는 10초에 300 m 이동하므로 1시간(3,600초)에 108 km 이동한다. 기차보다 빠르려면 1시간에 108 km보다 더 멀리 움직여야 한다.

03 속력의 단위를 같게 하여 비교한다.
① 자전거의 속력 = 90 m ÷ 30 s = 3 m/s
② 야구공의 속력 = 144,000 m ÷ (60 × 60) s = 40 m/s
③ 자동차의 속력 = 36,000 m ÷ (30 × 60) s = 20 m/s
④ 육상선수의 속력 = 50 m ÷ 5 s = 10 m/s
⑤ 오토바이의 속력 = 18,000 m ÷ (60 × 60) s = 5 m/s

04 6초 동안 120 cm를 이동하였으므로
속력 = 120 cm ÷ 6 s = 20 cm/s이다.

05 2~4초 동안 60 cm를 이동하였으므로
속력 = 60 cm ÷ 2 s = 30 cm/s이다.

06 속력의 단위를 같게 하여 비교한다.

- 타조의 속력 = 6 km/h
- 치타의 속력 = 30 m/s × 3,600 ÷ 1,000 = 108 km/h
- 여우의 속력 = 12 km/h
- 양의 속력 = 2 km/h

07 60초 동안 30 m를 이동하므로 1 m 이동하는 데 2초 걸린다. 따라서 45 m를 이동하는 데 90초 걸린다.

08 ㉡ 2~3시간 동안 자동차가 100 km 움직였으므로 평균 속력은 100 km/h이다.

09 에어백은 충돌 사고에서 운전자의 몸에 가해지는 충격을 줄이고, 안전띠는 긴급 상황에서 운전자의 몸을 고정한다.

10 과속 방지 턱은 차량의 속력을 줄여서 사고를 막는다.

11 두 자동차가 같은 속력, 같은 방향으로 운동하면 정지한 것처럼 보인다.

서술형으로 다지기 72~73쪽

01 모범답안 1,020 m, 소리는 3초 동안 $340\times3=1,020$(m) 이동하기 때문이다.

해설 (속력)=(이동 거리)÷(걸린 시간)이고
(이동 거리)=(속력)×(걸린 시간)이다. 번개(빛)는 속력이 매우 커서 번개가 치는 동시에 볼 수 있으므로 번개가 이동한 시간은 무시한다.

02 모범답안

(1) 속력이 가장 큰 동물 : 다람쥐
(2) 속력이 가장 작은 동물 : 거북이
(3) 이유 : 일정한 시간 동안 이동한 거리가 멀수록 빠르다.

해설 시간-거리 그래프에서 기울기는 속력을 나타낸다. 기울기가 클수록 속력이 크다.

03 모범답안 브레이크를 잡으면 2초 후에 8 m에 도착하기 전에 멈추기 때문에 정지해 있던 자전거와 부딪치지 않는다.

해설 자전거의 속력이 4 m/s이므로 1초 동안 4 m를 이동한다. 브레이크를 잡으면 2초 동안 속력이 줄어들면서 멈추므로 8 m에 도착하기 전에 멈춘다. 따라서 8 m 앞에 정지해 있던 자전거와 부딪히지 않는다.

04 모범답안 어린이가 많이 다니는 구역은 예상하기 힘든 사고가 생길 수 있기 때문에 최고 속도를 작게 한다.

해설 제한 속도는 안전한 도로 교통을 위해 꼭 필요하며, 안전거리와도 관계가 있다. 길의 모양과 위치에 따라서도 제한 속도를 다르게 한다.

융합사고력 키우기 74~75쪽

01 모범답안 차가 일정 속도 이상으로 충돌하면 롤러가 스위치를 눌러 가스 발생 장치에서 폭발이 일어난다. 이때 발생한 질소 기체가 에어백으로 들어가 부푼다.

02 모범답안 납작하면 부딪히는 면적이 넓어서 충격이 퍼지기 때문이다.

해설 면적이 넓으면 힘이 잘 분산된다. 앞 범퍼가 튀어나오면 좁은 면적에 충격이 집중되지만, 납작하면 넓은 면적으로 충격이 퍼지기 때문에 피해를 줄일 수 있다.

03 예시답안

- 포수가 공을 받을 때 가슴 쪽으로 손을 당긴다.
- 농구에서 공을 받을 때 손을 먼저 뻗어 공을 잡으면서 가슴으로 당긴다.
- 체조 선수가 착지할 때 무릎을 굽힌다.
- 매를 맞을 때 손바닥을 아래로 내리면서 맞는다.
- 물체가 딱딱한 바닥에 떨어질 때보다 푹신한 방석에 떨어지면 잘 깨지지 않는다.
- 운동화 밑창에 에어포켓을 넣어 충격을 줄인다.
- 유도 선수가 낙법을 한다.
- 번지 점프에서 줄이 늘어난다.

해설 가해진 힘의 크기가 일정할 때, 충돌 시간을 길게 해주면 충격량을 줄일 수 있다.

탐구력 키우기 76~77쪽

01 모범답안 동전 모양 자석의 같은 극끼리 가까이하면 척력에 의해서 밀려서 움직인다.

해설 동전 모양 자석의 극은 윗면과 아랫면이고, 같은 극이 같은 방향을 향하도록 놓은 후 자석을 가까이하면 척력에 의해 서로 밀어낸다.

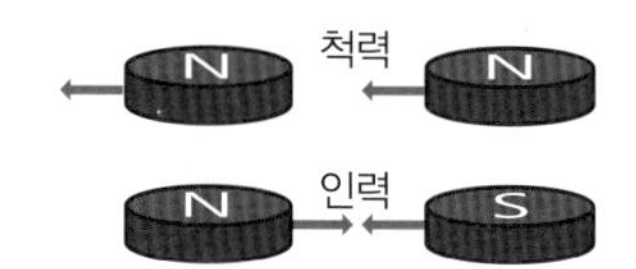

02 예시답안

자석 인형	코끼리	사자	곰	하마
1회 걸린 시간(초)	45	60	57	51
2회 걸린 시간(초)	55	47	55	45
평균 걸린 시간(초)	50	53.5	56	48

03 예시답안

• 코끼리의 속력=120 cm÷50 s=2.4 cm/s
• 사자의 속력=120 cm÷53.5 s=약 2.24 cm/s
• 곰의 속력=120 cm÷56 s=약 2.14 cm/s
• 하마의 속력=120 cm÷48 s=2.5 cm/s
• 가장 빠른 인형 : 하마

해설 (속력)=(이동 거리)÷(걸린 시간)으로 구한다. 경기장의 출발점에서부터 도착점까지의 거리(120cm)는 줄자로 측정한다. 일정한 거리를 이동하는 데 걸린 시간이 짧을수록 속력이 크다.

04 예시답안

• 기차의 속력을 줄일 수 있는 방법
－기차 앞에 장애물을 설치한다.
－폭주 기차 뒤쪽에 다른 기차를 연결하고 반대로 끌어당긴다.
－철도 방지 턱을 이용한다.
• 기차에 올라탈 수 있는 방법
－기차와 같은 속력으로 달리고 있는 차에서 옮겨 탄다.
－기차와 같은 속력으로 달리고 있는 헬리콥터에서 옮겨 탄다.

Ⅳ 산과 염기

07 용액의 분류

개념 기르기 84~85쪽

01 ⑤ 02 ⑤ 03 ① 04 ①, ④ 05 ④
06 ④, ⑤ 07 ② 08 ④ 09 ③ 10 ⑤
11 ①, ③ 12 ①, ③

01 용액을 담고 있는 그릇의 모양은 용액의 특징이 아니다.

02 용액을 관찰할 때 함부로 맛을 보지 않아야 하며, 먹어도 되는 물질이 확실한 경우에만 맛을 본다. 유리 막대에 액체를 묻히고 거름종이에 액체를 묻힌 후 혀끝으로 맛을 본 다음 물로 헹군다.

03 식초, 레몬즙, 유리 세정제는 색깔이 있는 용액이고, 사이다, 석회수, 묽은 염산은 색깔이 없는 용액이다.

04 물과 소금물은 투명한 용액이고, 우유, 흙탕물, 오렌지 주스는 불투명한 용액이다.

05 식초, 레몬즙, 사이다는 먹을 수 있는 용액이고, 유리 세정제, 석회수, 수산화 나트륨 용액은 먹을 수 없는 용액이다.

06 식초, 레몬즙, 사이다는 푸른색 리트머스 종이를 붉은색으로 변화시키고, 빨랫비누 물과 석회수는 붉은색 리트머스 종이를 푸른색으로 변화시킨다.

07 묽은 염산은 페놀프탈레인 용액을 떨어뜨렸을 때 색깔이 변하지 않고, 석회수, 빨랫비누 물, 유리 세정제, 묽은 수산화 나트륨 용액은 페놀프탈레인 용액을 떨어뜨렸을 때 붉은색으로 변한다.

08 식초, 사이다, 묽은 염산은 산성 용액으로 푸른색 리트머스 종이를 붉은색으로 변하게 하고, 유리 세정제, 빨랫비누 물, 석회수, 묽은 수산화 나트륨 용액은 염기성 용액으로 붉은색 리트머스 종이를 푸른색으로 변하게 한다.

09 식초, 사이다, 묽은 염산은 산성 용액이며, 유리 세정제와 묽은 수산화 나트륨 용액은 염기성 용액이다. 산성 용액은 리트머스 종이를 붉은색으로 변하게 하고 페놀프탈레인 용액의 색은 변하지 않는다. 염기성 용액은 리트머스 종이를 푸른색으로 변하게 하고 페놀프탈레인 용액을 붉은색으로 변하게 한다.

10 자주색 양배추 지시약은 산성 용액에서는 붉은색 계열을, 염기성 용액에서는 푸른색 계열을 나타내며, 염기성이 강하면 노란색을 나타낸다.

11 자주색 양배추 지시약은 산성 용액에서는 붉은색 계열을, 염기성 용액에서는 푸른색 계열을 나타내며, 염기성이 강하면 노란색을 나타낸다. 눈과 입을 붉은색으로 그리려면 산성인 식초와 묽은 염산을 사용해야 한다.

12 장미, 검은콩, 자주색 양배추 등은 산성 용액에서는 붉은색 계열로, 염기성 용액에서는 푸른색 계열로 변하는 안토시아닌 색소가 있어 천연 지시약으로 사용할 수 있다.

서술형으로 다지기 86~87쪽

01 모범답안

(1) 주어진 분류 기준에 따라 용액 분류하기

색깔이 있는 용액	색깔이 없는 용액
식초, 유리 세정제	사이다, 묽은 염산, 묽은 수산화 나트륨 용액

(2) 용액을 분류할 수 있는 또 다른 분류 기준

- 흔들었을 때 거품이 3초 이상 유지되는 용액과 그렇지 않은 용액
- 냄새가 나는 용액과 나지 않는 용액
- 먹을 수 있는 용액과 먹을 수 없는 용액
- 산성 용액과 염기성 용액
- 리트머스 종이를 붉은색으로 변화시키는 용액과 푸른색으로 변화시키는 용액
- 페놀프탈레인 용액을 떨어뜨렸을 때 붉은색으로 변하는 용액과 변화가 없는 용액

해설 분류 시 분류 기준은 객관적이어야 하고 명확해야 한다. 또한, 분류된 것이 서로 중복되지 않아야 하고, 분류 결과를 모았을 때 전체와 일치해야 한다.

02 모범답안 지시약, 여러 가지 용액을 산성 용액과 염기성 용액으로 분류할 때 사용한다.

해설 지시약은 어떤 물질을 만났을 때 그 물질의 성질에 따라 눈에 띄는 변화가 나타나는 물질이다. 리트머스 종이와 페놀프탈레인 용액은 대표적인 산염기 지시약이다. 지시약을 이용하면 시각, 후각 등의 관찰을 통해 분류할 수 없는 용액도 분류할 수 있다.

03 모범답안

(1) 산성 용액과 염기성 용액으로 분류하기

산성 용액	염기성 용액
식초, 레몬즙, 사이다, 묽은 염산	빨랫비누 물, 석회수, 유리 세정제, 묽은 수산화 나트륨 용액

(2) 그렇게 생각한 이유 : 페놀프탈레인 용액을 떨어뜨렸을 때 산성 용액은 색깔 변화가 없고, 염기성 용액은 붉은색으로 변하기 때문이다.

해설 페놀프탈레인 용액은 염기성 용액에서는 붉은색으로 변하고, 산성 용액에서는 변화가 없다.

04 모범답안

- A : 물, 페놀프탈레인 용액과 푸른색 리트머스 종이에서 모두 변하지 않았기 때문이다.
- B : 묽은 수산화 나트륨 용액, 페놀프탈레인 용액을 떨어뜨렸을 때 붉은색으로 변했기 때문이다.
- C : 묽은 염산, 푸른색 리트머스 종이를 붉은색으로 변화시켰기 때문이다.

해설 페놀프탈레인 용액은 염기성 용액에서 붉은색으로 변하고, 푸른색 리트머스 종이는 산성 용액에서 붉은색으로 변한다. 중성 용액인 물은 페놀프탈레인 용액과 푸른색 리트머스 종이에서 모두 변화가 없다.

융합사고력 키우기 88~89쪽

01 모범답안 델피니딘 또는 안토시아닌

해설 수국은 핑크색, 붉은색, 보라색, 푸른색 등 다양한 색을 띤다. 수국의 다양한 색은 델피니딘이라는 안토시아닌 색소에 의해 결정된다. 수국의 꽃잎처럼 보이는 부분은 실제 꽃받침이고, 가운데 부분에 작은 꽃잎, 수술, 암술이 있다.

02 모범답안 토양의 산의 세기나 토양의 알루미늄 농도에 따라 꽃의 색이 달라진다.

해설 수국, 라일락꽃, 보라색 도라지꽃은 안토시아닌 색소를 가지고 있다. 라일락꽃과 보라색 도라지꽃은 산성이 강한 토양에서는 붉은색으로 변하고 염기성이 강한 토양에서는 푸른색으로 변한다. 그러나 수국은 토양의 산의 세기와 알루미늄 농도에 영향을 받기 때문에 라일락꽃이나 보라색 도라지꽃과는 색깔 변화가 다르다. 수국은 산성이 강한 토양에는 푸른색으로, 산성이 약한 토양에서는 붉은색으로 변한다.

03 예시답안

- 천연 지시약을 사용하여 염기성 음식들을 찾아본다.
- 어린이 우비에 천연 지시약을 추가하여 산성비인지 확인한다.
- 개미가 스트레스 받을 때 내뿜는 개미산의 성질을 확인한다.
- 입속에 넣는 천연 지시약 테스트지를 만들어 입안의 산성도를 확인한다.
- 물고기에게 좋은 환경인지 알아보기 위해 어항 물의 산성도 변화를 확인한다.

해설 화학 지시약이 아닌 인체나 생물에게 해롭지 않은 천연 지시약을 사용해야 하는 경우를 생각해본다. 입속의 산성도가 강해지면 세균이 번식해 입 냄새가 나므로 산성도를 미리 점검하면 입 냄새를 대비할 수 있다.

08 산과 염기의 성질

개념 키우기 94~95쪽

01 ④ 02 ⑤ 03 ⑤ 04 ⑤ 05 ②, ④
06 ① 07 ② 08 ② 09 ① 10 ④
11 ③ 12 ②, ③

01 달걀 껍데기는 산성 용액에서는 기포가 발생하며 녹고, 염기성 용액에서는 변화가 없다. 식초, 사이다, 묽은 염산은 산성 용액이고, 유리 세정제, 빨랫비누 물, 석회수, 묽은 수산화 나트륨 용액은 염기성 용액이다.

02 산성 용액에 대리석을 넣으면 기포가 발생하며 녹고, 염기성 용액에서는 변화가 없다.

03 삶은 달걀흰자나 두부는 염기성 용액에서는 크기가 작아지고 흐물흐물해지지만 산성 용액에서는 변화가 없다.

04 물질의 산의 세기는 pH로 나타낸다.

05 자주색 양배추 지시약은 산성일 때는 붉은색을 나타내고 염기성일 때는 푸른색, 염기성이 강해지면 노란색을 나타낸다. 묽은 염산이 들어 있는 삼각 플라스크에 자주색 양배추 지시약을 넣으면 붉은색으로 변한다. 여기에 묽은 수산화 나트륨 용액을 계속 떨어뜨리면 산성이 약해져 점점 분홍색, 보라색을 거쳐 청록색으로 변한다.

06 산성 용액에 염기성 용액을 계속 넣으면 산성을 띠는 물질과 염기성을 띠는 물질이 서로 짝을 맞추면서 각각의 성질을 잃어버리기 때문에 산성이 점점 약해진다. 묽은 염산에 묽은 수산화 나트륨 용액을 계속 넣으면 중성을 거쳐 염기성이 된다.

07 자주색 양배추 지시약은 산성일 때는 붉은색을 나타내고 염기성일 때는 푸른색, 염기성이 강해지면 노란색을 나타낸다. 묽은 수산화나트륨 용액은 염기성이고, 산성 물질을 떨어뜨리면 염기성이 점점 약해져, 용액의 색깔이 노란색에서 청록색, 보라색을 거쳐 붉은색으로 변한다.

08 페놀프탈레인 용액이 붉은색으로 변한 것으로 보아 삼각 플

라스크 속 용액은 염기성이다.

09 유리 세정제, 비누, 치약, 석회는 염기성 물질이다.

10 위산은 외부로부터 들어온 세균을 죽이고 단백질을 소화시키기 위해 강한 산성을 띤다. 위산이 많이 나올 때 염기성 물질인 제산제를 먹으면 산성이 약해져 통증이 줄어든다.

11 물에 녹인 치약은 염기성이므로 붉은색 리트머스 종이를 푸른색으로 변화시키고 푸른색 리트머스 종이에서는 변화가 없다.

12 자연 상태의 비는 pH 5.6 정도로 약한 산성을 띠며 pH가 5.6보다 낮은 비를 산성비라고 한다. 산성 용액은 대리석을 녹인다.

서술형으로 다지기

96~97쪽

01 모범답안
(1) 실험 방법
① 비커에 같은 양의 식초, 유리 세정제, 묽은 염산, 묽은 수산화 나트륨 용액을 넣는다.
② 각 비커에 대리석 조각을 넣고, 변화를 관찰한다.
(2) 예상되는 결과 : 식초와 묽은 염산에 넣은 대리석 조각은 기포가 발생하면서 녹고, 유리 세정제와 묽은 수산화 나트륨 용액에 넣은 대리석 조각은 큰 변화가 없다.

해설 산성 용액은 대리석을 녹인다. 대리석 조각상의 모습이 변한 이유는 산성비와 새의 배설물과 같은 산성 물질에 의해 부식되었기 때문이다.

02 모범답안
(1) 용액의 색깔 변화

구분	(가)	(나)	(다)
용액의 색깔 변화	노란색	초록색 또는 청록색	보라색 또는 붉은색

(2) 용액의 성질 변화 : 묽은 수산화 나트륨 용액에 묽은 염산을 계속 넣으면 염기성이 점점 약해지다가 중성을 거쳐 산성이 된다.

해설 묽은 수산화 나트륨 용액은 염기성이다. 묽은 수산화 나트륨 용액에 묽은 염산을 넣으면 염기성을 띠는 물질과 산성을 띠는 물질이 짝을 맞춰 각각의 성질을 잃어버리기 때문에 염기성이 약해지고 용액은 초록색 또는 청록색으로 변한다. 모두 짝을 맞추면 중성이 되어 보라색을 띠고, 묽은 염산을 계속 떨어뜨리면 산성을 띠는 물질이 많아져 산성이 되고 용액은 붉은색으로 변한다.

03 모범답안
(1) 생선 요리에 레몬즙을 뿌리는 이유 : 생선 비린내의 염기성 성분을 산성인 레몬즙으로 약하게 하기 위해서이다.
(2) 위와 같은 성질을 이용한 예
- 염산 누출 사고에 소석회를 뿌린다.
- 추수가 끝난 후 산성화된 논이나 밭에 석회를 뿌린다.
- 음식을 먹은 후 양치질을 한다.
- 속이 쓰릴 때 제산제를 먹는다.
- 비누로 머리를 감고 식초로 헹군다.
- 변기를 청소할 때 변기용 세제를 이용한다.
- 생선을 손질한 도마를 씻을 때 식초를 이용한다. 등

해설 생선의 비린내는 염기성 물질이므로 산성인 레몬즙을 뿌리면 없앨 수 있다.

04 모범답안 바다가 산성화되어 석회질 성분의 껍데기가 녹기 때문이다.

해설 대기 중의 이산화 탄소 양이 많아지면 바다에 흡수되는 이산화 탄소의 양도 많아진다. 바다에 흡수된 이산화 탄소는 물과 반응하여 탄산이 되어 바다가 산성화가 된다. 바다가 산성화가 되면 조개껍데기, 산호 껍데기 등 탄산 칼슘으로 이루어진 해양 생물들이 성장이 느려지고, 몸체가 녹아내리며, 부식되거나 개체 수가 줄어든다. 산호가 죽으면 물고기 알이나 동물성 플랑크톤을 먹는 해파리가 증가하고 물고기 개체 수가 감소해 생태계의 균형을 파괴할 수 있다. 2100년이면 산호가 완전히 사라질 것이란 우려도 있다.

융합사고력 키우기

98~98쪽

01 모범답안 강한 산성

해설 황 산화물이나 질소 산화물이 대기의 수증기와 만나면 황산이나 질산으로 바뀌어 산성비가 되어 내린다.

02 모범답안 강이나 호수의 물을 산성으로 변화시켜 플랑크톤의 수가 감소하고, 먹이 사슬에 영향을 주어 수중 생태계에 영향을 준다.

해설 산성비로 호수의 생태계가 변하면 일부 예민한 생물 종들이 먼저 피해를 입는다. 플랑크톤의 수가 감소하면 대부분 물고기가 죽는다. 또한, 지하수가 산성화되면 강이나 하천 등의 중금속 오염을 확대시킨다.

03 모범답안 석회 같은 염기성 물질을 주기적으로 뿌려 산의 세기를 약화시킨다.

해설 북미나 북동유럽지역에서는 산성화된 호수를 복원하기 위해 주기적으로 석회 가루를 뿌리고 있다. 석회 가루는 산성을 중화시키지만 호수를 염기성으로 만들지 않기 때문에 산성화된 호수를 완화하기 위해 주로 이용된다. 황사는 산성비의 중화를 돕고 토양과 호수의 산성화를 완화하기도 한다. 사막토양인 황사는 사막이 아닌 일반 토양과 달리 석회 성분을 약 10 % 함유하고 있기 때문이다.

탐구력 키우기

100~101쪽

01 모범답안

식초	• 분필에서 거품(이산화 탄소)이 생기며 녹는다. • 하얀 가루가 바닥에 가라앉는다. • 글자가 희미해진다.
염산	• 분필에서 거품(이산화 탄소)이 생기며 녹는다. • 하얀 가루가 바닥에 가라앉는다. • 글자가 희미해진다. • 식초보다 반응이 더 빠르다.
오렌지 주스	• 분필에서 거품(이산화 탄소)이 생기며 녹는다. • 하얀 가루가 바닥에 가라앉는다. • 글자가 희미해진다. • 식초보다 반응이 느리다.
물	• 큰 변화가 없다.
탄산수소 나트륨 용액	• 큰 변화가 없다.

02 모범답안 분필은 산성 용액에서 녹기 때문이다.

해설 탄산 칼슘으로 이루어진 분필, 대리석, 석회암, 조개나 달걀 껍데기 등은 산성 용액에서 녹으면서 이산화 탄소가 발생한다.

염산+탄산 칼슘 → 염화 칼슘+이산화 탄소+물,

$2HCl+CaCO_3 \rightarrow CaCl_2+CO_2+H_2O$

식초(아세트산)+탄산 칼슘

→ 아세트산 칼슘+이산화 탄소+물,

$2CH_3COOH+CaCO_3 \rightarrow Ca(CH3COO)_2+CO_2+H_2O$

03 예시답안

- 저공해 연료를 사용하여 자동차의 배기가스를 줄인다.
- 올바른 운전 습관과 주기적인 차량 정비로 오염 물질의 배출을 최소화한다.
- 가까운 거리는 걷거나 자전거나 대중교통을 활용한다.
- 전기, 태양열, 바이오연료 등을 이용한 저공해 자동차를 개발한다.
- 청정연료를 사용하여 배출되는 오염 물질을 줄인다.

해설 산성비의 원인은 자동차에서 배출되는 질소 산화물과 공장이나 발전소, 가정에서 사용하는 석탄, 석유 등의 연료가 연소되면서 나오는 황 산화물이다. 산성비를 줄이기 위해서는 질소 산화물과 황 산화물의 배출을 최소화해야 한다.

04 예시답안

- 차양을 씌워 산성비를 막는다.
- 유리 보호 장치를 설치한다.
- 크기가 작은 문화재는 박물관으로 옮긴다.
- 주변 차량 통행을 금지한다.
- 산성비에 젖지 않도록 조각품이나 동상 표면에 발수제를 바른다.
- 산성을 중화시키는 약품으로 닦는다.

해설 그리스 아테네시는 1995년부터 아크로폴리스 광장을 비롯한 1.8 km^2 정도 공간의 차량 통행을 완전 금지했다. 역사유적과 조각들이 자동차 배기가스와 산성비와 같은 산성 물질에 의해 부식되고 있기 때문이다. 우리나라는 2000년에

종로 탑골 공원에 있는 대리석으로 만든 국보 2호 원각사지 십층 석탑에 유리 보호 장치를 씌웠다. 산성비와 새의 배설물과 같은 산성 물질로 인한 탑의 부식을 보호하기 위해서이다. 이집트에서는 1991년부터 1997년까지 약 7년 동안 스핑크스의 보수공사가 이루어졌는데, 당시 스핑크스는 산성비에 의해 붕괴 직전에 있을 만큼 심각하게 훼손된 상태였다. 프랑스에 있는 로댕의 '생각하는 사람'은 산성비로 부식돼 마치 눈물을 흘리는 것처럼 보인다.

안쌤이 추천하는
영재교육원 대비 5,6학년 로드맵

STEP

개념+창의력

안쌤의 최상위 줄기과학 초등 시리즈 **학기별 8강, 총 32강**

STEP

문제해결력

안쌤의 창의적 문제해결력 시리즈 **수학 8강, 과학 8강**

STEP

실전테스트

안쌤의 창의적 문제해결력 실전 시리즈 **수학 50제, 과학 50제, 모의고사 4회**

안쌤의

최상위 줄기과학

펴낸곳 타임교육C&P **펴낸이** 이길호
지은이 안쌤 영재교육연구소(안재범, 최은화, 유나영, 이상호, 추진희, 허재이, 오아린, 이나연, 김혜진, 김샛별, 이유경)
주소 서울특별시 강남구 봉은사로 442 **연락처** 1588-6066
팩토카페 http://cafe.naver.com/factos
안쌤카페 http://cafe.naver.com/xmrahrrhrhghkr(안쌤 영재교육연구소)

자율안전확인신고필증번호: B361H200-4001
1. 주소: 06153 서울특별시 강남구 봉은사로 442
2. 문의전화: 1588-6066
3. 제조년월: 2023년 8월
4. 제조국: 대한민국
5. 사용연령: 8세 이상
※ KC마크는 이 제품이 공통안전기준에 적합하였음을 의미합니다.

주의

종이, 모서리에 다칠 수 있으니 주의하세요!